Estimado lector,

Gracias por su interés
espero que lo disfrute.

y

Crecí en Oxnard, California. Siendo más joven vi demasiadas injusticias sin poder encontrarles sentido. Sin embargo, a medida que fui madurando e hice mis propias investigaciones, logré entender más a fondo las experiencias que había vivido. Por ejemplo, descubrí que hay muchas versiones de cada historia, pero sin embargo solamente se nos presenta una de ellas. Por lo tanto, aceptamos esa versión como la única verdad. En este libro, relato la otra cara de estas historias—el lado que permanece intencionalmente sin narrarse y sin escucharse. Es muy importante observar que, aunque algunos entornos y personajes mencionados en este libro son ficticios, las historias que cuento no sólo se basan en mis propias observaciones, sino que están cimentadas en artículos de investigación, bases de datos gubernamentales, libros, informes, artículos de periódico, etcétera. Si tiene dudas, le invito a que haga su propia investigación.

Le pido que conserve una mente abierta mientras lee la totalidad de este libro. Esto no significa que tiene que estar de acuerdo conmigo. Más bien, le pido que haga un esfuerzo honesto para tratar de entenderme. Hablo sobre los diversos temas desde una perspectiva completamente diferente, y esto podría hacer que se sienta incómodo, inquieto o incluso molesto durante la lectura de mis narraciones. En lugar de sentir un ataque personal a través de mis historias, le pido investigue y descubra sus propios conceptos erróneos. ¿Por qué mis observaciones y análisis son drásticamente distintos a los suyos? Acérquese a sus amigos, colegas, familiares, jóvenes, miembros de la comunidad, activistas, educadores, o a quien sea, para obtener diferentes percepciones del mundo. El principal objetivo de este libro es crear conciencia e inspirar conversaciones sobre las injusticias sociales, no sólo en Oxnard, sino también en otras comunidades.

Con Amor,
Martín Alberto Gonzalez

Elogios para *21 millas de vista maravillosa ... y luego Oxnard*

"¿Busca una manera impactante de combatir los estereotipos y el racismo contra la gente latina? No hay que ir más lejos que las interesantes contrahistorias de Martín Gonzalez, que contrarrestan la intolerancia y están repletas de testimonios de la vida diaria y datos bien documentados. La accesible obra de Gonzalez pondrá herramientas de esperanza y energía en manos de sus estudiantes, sus colegas y su comunidad".

—Minnie Bruce Pratt, poeta, maestra, activista anti-racista

"… He vivido en Oxnard toda mi vida, y después de leer este libro, estoy orgulloso de decir que soy de Oxnard. Somos mucho más de lo que la gente piensa que somos. Es por eso que la gente debería leer este libro, para que vean lo que es Oxnard realmente".

—Francisco José Erguera, estudiante de OHS (Clase de 2019)

"Martín Gonzalez conduce a sus lectores en un recorrido íntimo de su amada ciudad natal, ayudándonos a apreciar lo que hace que Oxnard sea especial para él, y al mismo tiempo habla con franqueza sobre las continuas dificultades que existen en su comunidad. Al igual que en otras poblaciones a lo largo de los EE.UU. que dependen del trabajo manual de la industriosa gente de color y de los inmigrantes, Martín describe el impacto de los servicios públicos inadecuados y racistas que se les ofrecen a personas que sólo quieren lo mejor para sus familias. "21 millas de vista maravillosa... y luego Oxnard" es tanto una carta de amor como un llamado a la igualdad y la justicia".

—Susan Wilcox, educadora y artista

"Martín, mi antiguo estudiante en OHS, ha aprovechado el amor de su familia, su comunidad, y la comunidad escolar, especialmente sus maestros y compañeros de AVID, que creyeron en él y lo apoyaron. Continúa su educación con denuedo, y ahora mira hacia atrás con su singular perspectiva, catalogando sus historias y luchando por obtener respuestas para todos los jóvenes marginados. El tiempo validará sus esfuerzos y las contribuciones de toda esa gente buena que tocó su vida. Su libro es pintoresco, interesante y perspicaz".

—Kathleen Beckham, M.Ed.

Sobre el autor

Martín Alberto Gonzalez es Xicano, criado en Oxnard, California. Terminó sus estudios superiores en la Universidad Estatal de California, Northridge. Actualmente es estudiante de doctorado en el *Cultural Foundations of Education Department* (Departamento de Bases Culturales de la Educación) en la Universidad de Syracuse, donde se convirtió en el primer becario pre doctoral de la Fundación Ford en la historia de la universidad. Es el menor de siete hermanos/a y el único integrante de su familia que ha asistido a la universidad. Debido a que presenció cómo a sus hermanos/a mayores se les negaron y reprimieron sus talentos e intereses a través de la educación, se interesó por las cuestiones educativas relacionadas con los/as/xs estudiantes latinos/as/xs.

21 millas de vista maravillosa...
y luego Oxnard

contrahistorias y testimonios

por

Martín Alberto Gonzalez

Primera edición: 2018

ISBN-13: 9780692183472
ISBN-10: 0692183477

Para conferencias, consultas sobre la dirección de correos actual, o cualquier otra pregunta acerca de este libro y su autor, comunicarse a:

vivaoxnard@gmail.com

Para comprar este libro visite:

http://www.amazon.com/dp/0692183477

Nota: El precio de este libro continuará siendo relativamente módico a fin de que sea lo más asequible posible. Si no puede comprar una copia al precio de lista, comuníquese a vivaoxnard@gmail.com directamente para obtener más información sobre cómo obtener un ejemplar.

Reconocimientos

Unas cuantas historias en esta colección contienen material que apareció originalmente en otras publicaciones, les doy las gracias a esos editores. Este material ha sido reimpreso con la autorización del editor. *"Wasting talent: Using counter-storytelling to narrate dismal educational outcomes"* (Talento desperdiciado: El uso de contrahistorias para narrar deplorables resultados educativos), Martín Alberto Gonzalez, *Journal of Latinos and Education*, julio de 2017, Taylor & Francis Ltd.

Este libro se compiló con la ayuda de tres increíbles y cruciales Mujeres de Color. Le debo un inmenso reconocimiento a Camilla Josephine Bell por aportar comentarios, sugerencias y estímulo a lo largo del desarrollo de este proyecto de libro. Además de brindarme apoyo y revisar versiones preliminares del libro, la Dra. Aja Y. Martínez me desafió a escribir de manera descriptiva y sin concesiones. Finalmente, quiero expresar mi especial agradecimiento y aprecio a Jessica Irene Ramírez por su apoyo, compasión, paciencia y profundas conversaciones sobre nuestras experiencias de haber crecido en Oxnard.

En cuanto a logística, quiero expresarles mi agradecimiento a las siguientes personas: Natalie Alejandra Delgado y Sophia Kardaras por ayudarme a diseñar la portada y editar otras ideas relacionadas con este proyecto; Austin Luján, graduado de OHS en 2017, quien dibujó el mural *"Hope"* ("Esperanza") delante del cual aparezco retratado; Griselda de los Reyes, nativa de Oxnard, por el dibujo de la portada y por plasmar mis ideas en su arte; Jordan Beltrán Gonzáles por bendecirme con su experiencia en edición; y por último, Iliana Hernández por traducir este libro— mis narraciones, bromas y recuerdos—al español. Gracias.

Para: Dr. Mendoza,

¡La Lucha sigue!

Cuenta tus propias
historias...

Con Amor,

Para mi querida mamá, María "Cuqui"

Hasta que los leones tengan sus propios historiadores, la historia de la caza siempre glorificará al cazador... Una vez que me di cuenta de esto, tuve que convertirme en escritor. Tuve que ser ese historiador. No es el trabajo de un solo hombre. No es el trabajo de una sola persona. Pero es algo que tenemos que hacer, para que la historia de la caza también refleje la agonía, la angustia—y hasta la valentía de los leones.

—Chinua Achebe

Contenido

21 millas de vista maravillosa... y luego Oxnard

Nada bueno sale de Oxnard, California. Eso es lo que me han dicho toda mi vida. Se me ha trasmitido este mensaje tanto directa como indirectamente. Los residentes de Oxnard también lo internalizan. Siempre que hablo con alguien sobre lo que es hermoso de Oxnard, tienden a limitarse a la playa, el clima, el pretencioso centro comercial, *The Collection*—con sus tiendas fresas, restaurantes y bares costosos—y *Toppers Pizza*. En su mayor parte, todo lo demás pasa completamente desapercibido, o se demoniza y degrada. Obviamente, Oxnard tiene mala reputación; de hecho, la mayoría de las personas con quienes hablo y que no son de Oxnard, pero han oído hablar de él, generalmente lo evitan completamente. Algunas de las respuestas amables con las que me he han respondido incluyen, "He pasado por Oxnard, por la autopista", "Sé dónde es, pero solamente he estado en las tiendas de descuento de Camarillo", y una más reciente, "Sí, he estado en Oxnard, pero sólo en el centro comercial *The Collection*". A las tres respuestas yo siempre replico, frunciendo el ceño exageradamente, "¡Wey, eso no es Oxnard!"

Para mi gente que no está familiarizada con Oxnard, déjenme darles el contexto de la ciudad en la que crecimos mis hermanos/a y yo. La población de Oxnard es de aproximadamente 200,000 habitantes, y está compuesta de latinos/as/xs, blancos, asiáticos (predominantemente filipinos) y negros, aunque los/as/xs latinos/as/xs, específicamente los/as/xs mexicanos/as/xs, están por todas partes y conforman la gran mayoría de la población. Es singularmente difícil describirles Oxnard a otros, porque no es ni ciudad ni campo, sino más bien se caracteriza como algo entre los dos extremos. Para algunos, Oxnard es estrictamente una ciudad agrícola, con frecuencia denominada el "la casa de las fresas". Cuando les digo a otros que soy de Oxnard, California, muchos lo asocian inmediatamente con la agricultura. Oxnard está lleno de trabajadores agrícolas, como resultado del Programa Bracero en los años cincuenta, el cual trajo mexicanos/as/xs a los Estados Unidos solamente para trabajar con sus 'brazos'.

Oxnard, debido a su ubicación geográfica y composición demográfica de residentes indocumentados, se ha convertido en un sitio agrícola sumamente exitoso. Situado en la costa del océano Pacífico, aproximadamente a una hora al sur de Santa Bárbara y una hora al norte de Los Ángeles, cuenta con condiciones de cosecha ideales. Dicho esto, muchos de los trabajadores del campo son indocumentados, con muy poca autonomía y opciones limitadas en cuanto a ocupaciones debido a su estado migratorio. Casualmente, aunque no es una sorpresa, las escuelas preparatorias vecinas no parecen equipar a los estudiantes con las habilidades y los requisitos adecuados para la educación superior, y parece como si los Estudiantes de Color (documentados o no) enfrentaran dificultades similares, aunque probablemente menos severas, tales como movilidad limitada, comparada a las que experimentan los trabajadores indocumentados del campo con quienes se cruzan todas las mañanas camino a la escuela.

Desafortunadamente, la sobreabundancia de la gente mexicana con poca educación formal y muy pocas oportunidades, ha creado una reputación negativa. Hasta la misma gente de Oxnard piensa que la ciudad tiene mala fama. La reputación de Oxnard la simboliza un meme increíblemente deprimente de *El rey león,* en el que Simba le pregunta a Mufasa, "¿Y qué hay con ese lugar oscuro?" y Mufasa responde, "Eso es Oxnard, no debes ir ahí nunca". La página de Instagram *"StayClassyOxnard"* ("Oxnard, no pierdas la clase") perpetúa la reputación negativa e inhumana de Oxnard publicando imágenes de residentes de Oxnard en su vida cotidiana, trabajando con las sobras que les han dado. Muchas de las fotografías que aparecen en esta página de Instagram son de personas sin hogar, o lo que parece ser gente mexicana, vestida o comportándose de manera ridícula. Sin tener más información, las personas que viven fuera de Oxnard reciben solamente estas imágenes e historias.

Independientemente de su aparente "mala" reputación, Oxnard es hermoso. Y no sólo en el sentido tradicional de la belleza. En otras palabras, no me refiero a las partes comúnmente conocidas de Oxnard que fácilmente se consideran bellas, tales como las multimillonarias casas cerca del puerto y de la playa, o hasta el complejo de *The Collection*, con restaurantes que ofrecen áreas al aire libre donde uno puede comer junto con sus mascotas. Me refiero a la parte de Oxnard de la que frecuentemente se habla de manera negativa. La parte que alguna gente llama el lado "malo" de Oxnard. Es decir, la hermosa gente de piel morena—la gente mexicana. Los "cholos"—delgados o gordos, con camisetas sin marca en talla 2XL, pantalones cortos *Dickies* extra grandes y calcetines blancos largos. La parte del sur de Oxnard, por la calle Bard cerca de Squires. La tan evitada comunidad de *La Colonia*. El *swap meet* o tianguis saturado de puestos vendiendo botanas con chamoy en Oxnard College los fines de semana. Los parques llenos de mexicanos/as/xs haciendo carne asada y jugando despreocupadamente fútbol, con pantalones de mezclilla y huaraches. La música de banda con el escándalo de la tuba y los paisanos con sus sombreros vaqueros en *Ruby's* en noches de fin de semana. En mi opinión, éstas y muchas cosas más son lo que hacen hermoso a Oxnard. Sin embargo, las percepciones actuales de Oxnard nos dicen lo contrario.

A decir verdad, fácilmente encontramos mensajes subliminales que sugieren que Oxnard no es bello. Si tomas la carretera *Pacific Coast Highway* (*PCH*) de Los Ángeles/Santa Mónica a Oxnard, en cierto punto pasarás por Malibú. Al entrar a Malibú encontrarás un cartel que dice, "Malibú…21 millas de vista maravillosa". Muchos turistas, o manejan despacio e interrumpen el flujo del tráfico, o se estacionan y salen del coche para tomarse una foto frente a este cartel. Sobra decir que, después de las "21 millas" la belleza "termina", aunque Oxnard es la siguiente ciudad y también tiene gente y playas hermosas. Esto explica por qué muy pocos turistas y visitantes se atreven a continuar hacia el norte después de Malibú y llegar al sur de Oxnard. La reputación de la gente allí es de muy "peligrosa" y "fuera de control" para los visitantes inocentes y adinerados.

5

Por eso, siempre me imagino un cartel que dice "... y luego Oxnard" después de la leyenda de "21 millas de vista maravillosa", refiriéndome con sarcasmo al hecho de que Oxnard, en su mayor parte, se percibe como un lugar "malo" e indeseable, especialmente comparado con las comunidades vecinas. Aunque ciertos aspectos de Oxnard, como la playa y los recientemente construidos restaurantes se idealizan y se buscan, todo lo demás; incluidas todas las bellas personas mexicanas que mantienen a la ciudad funcionando con sus singulares maneras de vivir y de ser, quedan en el olvido o se habla mal de ellas. Ojalá que los residentes de Oxnard y sus visitantes lleguen a apreciar todo lo que hace de Oxnard lo que es, una belleza incondicional en todos sus aspectos.

Boxnard

Lo sepamos o no, la gente de Oxnard lleva el boxeo en la sangre. Cuando digo que soy de Oxnard, algunos extranjeros inmediatamente lo asocian con el boxeo. De hecho, para los aficionados del box, Oxnard, o mejor aún, Boxnard, se conoce como el epicentro del boxeo, donde boxeadores profesionales del pasado y actuales como Fernando *"Ferocious"* Vargas, Brandon *"Bam Bam"* Ríos,

Mikey García, Víctor "*Vicious*" Ortiz, o Hugo "*The Boss*" Centeno Jr. han entrenado en *La Colonia Youth Boxing Club* (Club de Boxeo de La Colonia) o en la academia Robert García *Boxing Academy*, nombrada por un notable boxeador y actual entrenador profesional. Mientras crecía veía el boxeo por todas partes. Me aficioné al boxeo como deporte y me familiaricé con diversas técnicas y estrategias. Aunque nunca estuve directamente involucrado en el box, la cultura de este deporte era y continúa siendo importante en mi ciudad. Todavía hoy en día, siempre que regreso a casa, veo a jóvenes y gente mayor enfrentándose en viejos centros de recreación comunitarios y gimnasios.

Una de las tácticas de boxeo más conocidas es el contragolpeo. Para un observador casual, un contragolpe puede parecer simplemente un golpe que se tira inmediatamente después de un ataque lanzado por un oponente agresivo y fuera de control. Es eso y nada más. Sin embargo, un dedicado seguidor del boxeo no estará de acuerdo y dirá que los boxeadores que usan los contragolpes van mucho más allá de lo táctico. Como feroces oportunistas, los boxeadores dependen en gran medida de los errores de sus oponentes, con el objetivo no solo de acumular puntos, sino también la oportunidad de anotarse un nocaut. En este sentido, un contragolpe se convierte en una táctica importante porque puede hasta terminar con la pelea. Después de todo, algunos de los mejores nocauts jamás vistos en la historia del boxeo han resultado del contragolpeo.

Aparte de que he conocido a muchas personas de Oxnard que son luchadores, hablando en sentido literal o figurado, he podido hacer una conexión entre el contragolpeo en el deporte del boxeo y la reputación de Oxnard. La gente mexicana de Oxnard está continuamente en una pelea. Sin embargo, a diferencia de una pelea de boxeo normal, que tiene lugar en un ring de boxeo o en un callejón olvidado, esta contienda ocurre en un ámbito totalmente diferente, es decir; a través de narrativas. Todos los días se cuentan historias negativas sobre Oxnard, especialmente sobre la gente mexicana.

Estas historias son violentas y engañosas, han establecido una narrativa dominante que anula y mancha la reputación de Oxnard con un solemne trasfondo de desaliento. Esta narrativa, aceptada como verdad, dice que casi todo lo que proviene de Oxnard es "malo" o anda en malos pasos. Independientemente de ser engañosas, estas convincentes historias se convierten en reales y creíbles, porque las repite la gente que tiene poder, tales como políticos, periodistas, maestros, investigadores, etc., al igual que la gente sin poder y que ha internalizado la negatividad.

Para empeorar las cosas, las noticias y los periódicos alimentan esta narrativa con interminables historias que perpetúan la idea de que Oxnard y su gente son extremadamente peligrosas. Esta narrativa predominante distorsiona y silencia cualquier cosa positiva que provenga de Oxnard. Esta es precisamente la razón por la que la reputación de Oxnard se ve bombardeada por relatos de tiroteos y apuñalamientos. Pero casi nunca oímos hablar de la gente que sigue adelante, como los profesores mexicanos nacidos en Oxnard que están realizando investigaciones innovadoras en las mejores universidades de los Estados Unidos. Lo cual es cierto, dicho sea de paso.

Es aquí donde salen a relucir los contragolpes. Hablando de manera figurada, podemos devolver los golpes. Podemos cambiar esta narrativa negativa sobre Oxnard, tantas veces repetida, por medio de contrahistorias. Para ser precisos, las contrahistorias son narrativas pocas veces oídas que desafían a las historias predominantes, perjudiciales, incorrectas y con frecuencia distorsionadas sobre las Comunidades y la Gente de Color. Similares a los contragolpes en el boxeo, las contrahistorias sirven para refutar, aniquilar o "noquear" las falsedades que se propagan sobre las Comunidades de Color. De hecho, las contrahistorias continúan influyendo en las historias que se cuentan sobre nosotros, pero sin nosotros. Las conversaciones y narrativas no paran ahí, ni podríamos asegurar que algún día terminarán. Sin embargo, nuestros contragolpes pueden producir cambios, no sólo en cómo los demás nos perciben, sino, de manera más importante, cómo nos vemos a nosotros mismos.

Cuando enseño a otros sobre las contrahistorias, hago referencia a un provocativo informe publicado en 2006 por Tara Yosso y Daniel Solórzano, *"Leaks in the Chicana and Chicano Educational Pipeline"* (Fugas en el conducto educativo de las chicanas y los chicanos), el cual contiene una tabla que ilustra los malos resultados educativos de los/as/xs estudiantes chicanos/as/xs, desde la escuela primaria hasta la preparatoria, las instituciones de educación superior o *"community college"*, y las universidades. Los números son reveladores, los/as/xs estudiantes chicanos/as/xs van atrasados académicamente en comparación con otros grupos raciales y étnicos. Por un lado, esta tabla podría interpretarse como indicativa de que los jóvenes y los padres chicanos no valoran ni tienen interés por su educación. Por eso algunas personas usan esta tabla para validar sus suposiciones de que los/as/xs estudiantes chicanos/as/xs son innatamente poco inteligentes. Desgraciadamente, con frecuencia oigo cómo se usa esta justificación para explicar por qué la gente como yo no tiene éxito en la educación. Estas son las narrativas "dominantes" y representadas. En el lenguaje del boxeo, estas explicaciones y narrativas son ataques lanzados por un oponente agresivo y fuera de control; es decir, gente que no está dispuesta a ver triunfar a la próxima generación de orgullosos jóvenes y adultos mexicanos/as/xs.

Por otra parte, para otros como yo, esta tabla cuenta una historia totalmente diferente. Esto señala injusticias tales como escuelas que no tienen los recursos necesarios, un plan de estudios culturalmente irrelevante, maestros sin la capacitación adecuada y aulas saturadas como razones prominentes para explicar las disparidades educativas entre

11

los/as/xs chicanos/as/xs y otros estudiantes. Otra vez, usando el vocabulario de boxeo, estas explicaciones y narrativas son contrahistorias o "contragolpes". El ejemplo anterior de los ambiguos y sin embargo reveladores resultados educativos de los/as/xs estudiantes chicanos/as/xs, subraya la importancia de las contrahistorias o los "contragolpes". Sin escuchar ambos lados de una narrativa, cometemos el error de creer que no existe ninguna otra explicación.

Por mucho tiempo, yo aceptaba todas las historias que se han contado sobre mi comunidad de Oxnard y sobre mí como la única verdad. Sin embargo, en los últimos años, me he dado cuenta de que casi todas las historias que se cuentan sobre mi comunidad, mi familia y sobre mí se presentan de una forma muy negativa y que tiene muy poca validez. Todo lo relacionado con mi comunidad y conmigo—cómo nos vestíamos, cómo lucíamos y cómo hablábamos—era negativo y había que corregirlo. Las historias que escuché mientras crecía mostraban sólo un lado de la historia, y no había quién las criticara. Desde ese momento, me di cuenta de la necesidad de construir más historias—nuestras propias historias—para ayudar a desmentir las falsas imágenes y garantizar que se presentara y difundiera una imagen diferente. Las historias en este libro son ejemplos de contragolpes como contrahistorias. Sin embargo, es importante observar que las contrahistorias vienen en todo tipo de formas y variedades—películas, poesía, teatro, danza, dibujos, libros, narraciones orales, y mucho más.

Necesitamos historias en las que realmente tengamos voz y voto en cómo queremos que se nos presente y represente. Historias que les den a la gente, especialmente a aquellos que creen todo lo que ven y leen, un verdadero sentido de aquellas perspectivas que rara vez se cuentan como experiencia personal. Estas historias que contamos son muy importantes, porque servirán como valiosas herramientas para deconstruir las representaciones negativas y falsas que aparecen en las historias predominantes sobre nuestra comunidad. Más bien, nos permitirán construir y establecer narrativas empoderantes que nos harán sentir bien acerca de quiénes somos y de dónde venimos. Así yo, al igual que muchos otros que están conscientes de las historias dañinas que se cuentan sobre nosotros, seguiré "luchando" por medio de contar mis propias historias con la esperanza de que podré continuar tirando contragolpes.

*Este artículo fue inspirado por, y hace referencia a, un esquema de narración de contrahistorias originalmente publicado en *"Critical Race Methodology: Counter-Storytelling as an Analytical Framework for Education Research"*, ("Metodología crítica de la raza: la narración de contrahistorias como marco analítico para la investigación en la educación") por Daniel G. Solórzano y Tara J. Yosso.

13

Mucha crema a los tacos

"No le pongas mucha crema a los tacos" es una de las frases que usamos más frecuentemente como familia. En inglés, el significado literal no es el mismo que el de la frase en español. Como la mayoría de nuestras frases, el verdadero significado se pierde en la traducción. Dependiendo de a quién se le pregunte, 'no le pongas mucha crema a los tacos' puede significar una variedad de cosas. En su forma más sencilla significa "no exageres". Si se traduce a otras frases similares y comunes en inglés, alguna gente lo compara a refranes como "no toques tu propia trompeta", "no estires la verdad" o "no te dejes llevar por el entusiasmo". Estoy seguro de que todos conocemos mucha gente que le pone mucha crema a sus tacos. Para no alargar el número de palabras aquí, no voy a hacer una lista. Pero ustedes saben quiénes son.

Yo provengo de una familia donde hay mucha narración oral de historias. En su mayor parte, a todos en mi familia les gusta contar historias a su propia manera singular. Es por esto, en parte, que usamos tanto esta frase. Si mi familia y yo fuéramos taqueros, se nos conocería más que nada por ponerles mucha crema a nuestros tacos. Ahogamos nuestras narraciones con detalles, así es que cuando alguien menciona una cantidad exacta o un detalle específico, uno de nosotros inmediatamente interrumpe y dice, "Bueno, ahora cuéntala sin toda la crema". Ocasionalmente esto nos obliga a cambiar los detalles de nuestras historias, pero la mayor parte del tiempo, el exceso de crema persiste.

Recientemente cuestioné por qué mis familiares y amigos cercanos les ponen mucha crema a sus tacos. He llegado a la conclusión de que es porque están tan dedicados a hacer sus historias interesantes, y no los culpo. La crema funciona. Como el tajín y el limón en los pepinos, la sobreabundancia de crema en las historias las hace mucho más sabrosas. Las historias no serían iguales sin todos los detalles extra. Por mis experiencias con narradores "taqueros" que les ponen mucha crema a sus tacos, soy un firme creyente en que, hasta las narraciones más exageradas y dignas de un premio Óscar, son significativas de un modo u otro. Sólo porque los detalles de la historia parecen excesivos, no quiere decir que debemos descartarla completamente.

Dependiendo del contexto y de la situación, creo que deberíamos escuchar cada historia, no importa lo ridícula que parezca. La gente recuerda y cuenta historias importantes y que expresan su manera de pensar así es cómo estas historias cobran un significado diferente. Después de todo, es casi imposible traer a la memoria cada detalle exacto de lo que sucedió. Muchos de ustedes leerán las historias en este libro e inmediatamente pensarán que yo también les pongo mucha crema a mis tacos. Pero no se confundan. Debajo de toda la crema en mis historias, siempre hay algo de verdad.

La playa

La segregación es muy notable en nuestra playa local de Silver Strand en Oxnard, California, en la intersección de las avenidas Victoria y San Nicholas, cerca de la tienda de la esquina. No estoy hablando de segregación por ley, legalmente sancionada, como las denominadas leyes de "*Jim Crow*" que obligaban a las personas morenas y negras a usar instalaciones separadas, nada como eso. Después de

17

todo, el "antiguo" racismo explícito está pasado de moda, y el "nuevo" racismo "hipster" está de moda. La gente ya no puede ser abiertamente injusta; tienen que serlo en secreto. Más bien, estoy hablando de la segregación socialmente aceptada. Ya saben, el tipo de segregación que la gente ha normalizado. La segregación que sucede cuando la gente que está arriba a expensas de los demás, y nadie hace nada para evitarla o detenerla. Ya la conocen, el tipo de segregación que produce resultados socialmente injustos y luego les echa la culpa a los que están abajo por su falta de esfuerzo.

Un día muy caliente de verano, mi pareja Jessi me lo señaló. Ella acababa de completar su primer curso de Estudios Chicanos en la Universidad de Northridge, el epicentro de esta disciplina. Acababa de terminar su primer año en la universidad y para ella, todo era malo en el mundo. La opresión era esto, el sexismo aquello. Jessi era ese tipo de persona. Su palabra favorita era "problemático". Un viaje divertido a un festival terminaba en patriarquía y en deconstruir las formas normativas de pensar en el género. Yo sabía que no podía ir a Disneylandia con ella, porque solamente se quejaría sobre cómo las princesas reafirman la idea de que las mujeres no deben ser líderes y que deben ser complacientes y esperar a que sus esposos las salven.

De todos modos, la playa se convirtió en nuestro refugio durante el verano, porque los dos vivíamos como estudiantes en el Valle de San Fernando durante el año. Sin una playa en millas a la redonda, como estudiantes universitarios, nuestra prioridad era ir a la playa la mayor parte del tiempo posible cuando estábamos en casa, para así compensar los días insoportables que teníamos en el valle. Un verano, Jessi y yo fuimos a la playa casi todos los días. La exposición cotidiana a las prácticas y normas de la playa le abrieron la puerta a Jessi para analizar las injusticias sociales que ocurrían. Les juro que ella era más prendida y observadora que un sociólogo con maestría. Sin pluma ni papel, hacía observaciones y luego las sacaba a la luz con el fin de platicar acerca de ellas. Constantemente me decía, "¡No manches, eres tan despistado!" cuando no me daba cuenta de que alguien estaba siendo "racista" u "ofensivo".

Un caluroso día de verano como muchos otros en Oxnard, Jessi y yo fuimos a correr por la playa. Cansados, nos detuvimos para sentarnos sobre las rocas que separan la playa del puerto. Teníamos una vista perfecta tanto del puerto como de la playa, o así lo creí yo. Justo antes de que yo empezara a meditar y pensar en lo bendecido que había sido al crecer en una ciudad tan cercana a la playa, Jessi dijo abruptamente, "¡Mira! ¿Puedes creer eso?"

Sin saber exactamente de qué estaba hablando, rápidamente le di la razón, "¡Lo sé! Tenemos mucha suerte de vivir cerca de esta linda playa".

Pero Jessi me miró como si yo le hubiera pisado sus nuevos zapatos blancos. Con una sonrisa desdeñosa dijo, "¡No, wey, estoy hablando de la injusticia que hay en esta playa! Todos los que están en la playa *Kiddie Beach* (Playa de niños) son raza, los/as/xs mexicanos/as/xs, y todos los que están en la playa *Silver Strand* son blancos! ¿No se te hacen mamadas?"

Hice una rápida observación para acompañar el disgusto en mi cara. "¿Cómo?" Le dije, "solo están tratando de disfrutar un rato en la playa. No le veo nada de malo".

Ella me dio un suave empujón. "¡Abre los ojos una vez en tu vida, Martín! Yo creí que habías tomado el curso de Teoría Crítica de la Raza de la Dra. Tracy Buenavista en la Universidad de Northridge".

Continuó animadamente, "Nunca es natural que las personas se separen unas de otras con base en la raza; generalmente es alguna maquinación del gobierno. ¡Dividir y conquistar! Al final del día, los/as/xs mexicanos/as/xs siguen abajo, mientras que los blancos se mantienen arriba. ¿No lo ves?" Me preguntó con impaciencia.

Sabiendo que ella iba a continuar con su discurso de racismo, interpuse, "¡No manches! ¿Ya vas a empezar? ¡Siempre sales con lo mismo, todo el tiempo! Tomaste una clase de estudios étnicos y ahora lo sabes todo".

"¡Estoy hablando en serio!" exclamó, y yo le pregunté, "Entonces, ¿exactamente cómo es que esto es injusto?"

"Primero", dijo ella, "empecemos con el nombre mismo. ¿*Kiddie Beach* (Playa de niños)? ¿'Niños', en serio?" Continuó con una voz fuerte y sarcástica, "Yo soy una persona adulta, esas son personas adultas. Me cuido a mí misma; que no me vengan a tratar de 'niña' como si yo fuera incompetente o como si necesitara que me supervisaran como algún animal o un salvaje. Déjame adivinar, esa gente debe ser incivilizada".

"¿En serio, Jessi? ¡Estás exagerando!" repliqué mientras sacudía la cabeza. "Le dicen '*Kiddie Beach*' porque los padres tienden a llevar ahí a sus hijos, porque ahí es donde se encuentran el puerto y la playa, no hay olas, por lo tanto es más seguro. Es coincidencia que la gente que está allí es morena. Eso es todo. Nada más y nada menos".

"Ves, ese es otro problema", protestó ella inmediatamente. "¿Qué estás tratando de decir? ¿Que lo único que hace los/as/xs mexicanos/as/xs es tener bebés? ¿Qué viene después? ¿Que tienen bebés a propósito para tomar ventaja del sistema de bienestar social y que usan todas sus estampillas de alimentos para comprar las papitas y los jugos Tampico que disfrutan en esta playa de 'niños'?" Jessi alzó las cejas e hizo un puchero con los labios.

"Jessi, estás sobreanalizando todo esto. Nada más disfruta de la ..."

"¿La vista?" interrumpió ella. "Ah, ¿quieres decir disfrutar del hecho de que esta playa de 'blancos' tenga bellas olas cristalinas de ocho a diez pies, mientras que esta playa de 'niños' morenos está llena de desperdicios tóxicos que vienen de todos esos barcos pesqueros que entran y salen del puerto? Eso se llama racismo ambiental. ¡Investígalo!"

Tenía razón. La miré fijamente, pensando en lo que ella había dicho. Y me quedé callado.

Ella continuó sin perder el aliento: "Tú sabes que no me meto mucho con la oceanografía o como sea que se llame, pero sí sé que esas olas son para algo más que para hacer *surfing* o para que le den un madrazo a uno. También filtran el agua. En la playa *Kiddie Beach* la ciencia es fácil: ¡No hay olas, no hay filtros naturales! Así es que todas las toxinas y las sustancias químicas nocivas o como sea que se llamen, se dirigen hacia acá y se estancan, porque no hay olas. Las toxinas se concentran en esta pequeña área de agua. Eso es verdaderamente dañoso. Es como la pobreza concentrada. ¿Entiendes?"

Me reí, "tuviste que meterte en esto, ¿eh?"

"¿Qué?" Me miró con cara de que no lo podía creer. "¿Crees que estoy mintiendo?" Continuó agresivamente, "Hace varios años, el periódico *Los Angeles Times* publicó un artículo acerca de que expertos ambientales analizaron los niveles de bacterias en 250 playas de California, y ¿sabés cuál playa se llevo el gran premio?"

"Déjame adivinar, la playa *Kiddie Beach*", dije en broma, sin saber la respuesta correcta.

"¡Así es!" continuó, "Y por si fuera poco que ya tenemos mala calidad de aire por estas centrales eléctricas que lo contaminan, la playa *Kiddie Beach* de Oxnard fue nombrada la más contaminada en el Sur de California por un grupo de expertos ambientales. Hasta nuestras aguas están contaminadas. ¿Y cuántos letreros has visto advirtiéndole a los/as/xs mexicanos/as/xs de este peligro para su salud? ¡Ninguno! ¡Ni siquiera en inglés, mucho menos en español! No les importan estos niños ni estos padres en la playa *Kiddie Beach*, porque saben que son todos morenos!"

"¡Y si te la creo! Supongo que sí es una injusticia", le di la razón. "Por lo menos deberían decirles y darles la oportunidad de tomar una decisión informada de si quieren meterse en esta agua infestada de toxinas".

"¿Supones? ¡Compita, más vale que lo sepas!" Dijo, apuntándome con el dedo. "Pero espera, hay más cosas que demuestran que no les importamos".

"¿Como qué?" Repliqué mientras me protegía los ojos del sol cegador.

"Bueno, empecemos con los baños y las regaderas. ¿Los ves allá?" Apuntó con falta de respeto. "¡Hace poco los renovaron en la playa de los blancos! Las mujeres en la playa *Silver Strand* pueden sentarse a orinar sin sentir asco y repugnancia. ¿Te sientes tú cómodo sentándote en los asientos de los inodoros en la playa *Kiddie Beach*?"

"Nel", dije riéndome.

"¡Eso me imaginé!" Exclamó ella con voz aguda. "Vemos que esto sucede en la sociedad en general. El gobierno cuida e invierte dinero en los lugares donde vive y socializa la gente blanca. Del mismo modo deja de invertir en los lugares donde hay una fuerte presencia de Comunidades de Color. La fórmula es simple. A donde sea que vayan los blancos, el dinero y los recursos los siguen".

"Entonces, ¿me estás diciendo que si más y más gente blanca fuera a la playa *Kiddie Beach*, entonces sí harían nuevos baños?" Le pregunté para aclarar esta absurda proclamación.

"¡Ajá!" Asintió con la cabeza. "Ellos tienen muchos privilegios, y tan pronto como expresan una preocupación, ésta se resuelve rápidamente. Lo hemos visto antes. Siempre que los/as/xs mexicanos/as/xs plantean un problema, la gente lo ve como una queja, 'Oh, ustedes quieren y piden todo, sin merecer'. Pero cuando los blancos plantean una dificultad, esto se ve como un verdadero problema que hay que solucionar". Tomó un gran suspiro de aire y continuó, "¡De veras! Con seguridad habrá letreros instalados al día siguiente después de que se les pida que les avisen a otras familias blancas sobre las toxinas en el agua. Y sabiendo cómo es la política aquí, te apuesto que esos carteles serán solo en inglés".

"¡Es cierto! ¿Por qué los/as/xs mexicanos/as/xs no van simplemente al otro lado y disfrutan la...?" Dije, pero Jessi me interrumpió y terminó mi pregunta con las palabras "playa más blanca?"

"Iba a decir la playa más limpia, pero sí, la playa más blanca", respondí.

"Suenas como la Junta de Educación de Oxnard en los años 70, cuando Juan Soria y otras familias los demandaron por segregar racialmente a los estudiantes. Los miembros de la Junta de Educación dijeron, 'No estamos segregando a los estudiantes intencionalmente. Los/as/xs

24

mexicanos/as/xs se pueden mudar adonde quieran, tienen la libertad para hacerlo. Bla-bla-bla-bla'. Digo, wey, ¡no es tan simple! La renta es cara, y nadie le quiere dar un trabajo bien pagado a una mexicana calificada y bien preparada", insistió enojada.

Permanecí callado. De nuevo, pensé en cómo todo esto comenzaba a tener sentido.

Ella me dio unas palmaditas en la espalda. "Además, en caso de que se te haya olvidado, en Oxnard hay dueños racistas que no les dan a las Personas de Color la oportunidad de vivir en su propiedad, aunque tengan el dinero para pagar. Mi mamá, quien los dos sabemos, es una madre soltera y chingona, anda buscando, y puede pagar una casa buena en Oxnard. A pesar de haber tenido una conversación telefónica prometedora con el dueño, después de conocerla en persona, éste decidió no rentarle la casa, porque mi mamá llevó a mi hermanito, que 'parece' negro, a conocerlo. ¡Esto es en 2018! Discriminación con una sonrisa. De veras", dijo, frustrada, mientras que iba alzando la voz gradualmente.

"Sí, me lo habías dicho. ¡Qué gacho!" Dije con empatía, tratando de consolarla. "No es por quitarle importancia a nada de lo que has dicho, pero ¿qué tiene esto que ver con la playa y con el que los/as/xs mexicanos/as/xs vayan a la playa más limpia?" Pregunté inocentemente.

"¡Que no es tan sencillo como nada más recoger todas tus cosas y caminar a la playa más limpia y más blanca!"

25

Exclamó alzando la voz. "¿Alguna vez has tocado música de cumbia o de Chente en esta playa más limpia? Los blancos te miran como si fueras un extraterrestre o algo así. ¡Como que nunca han oído a Selena! ¡Esa mierda es humillante!"

"Muy cierto", dije, y me reí, de acuerdo con ella.

"Pero ahí tienes a *Cody* tocando su maldita música *gringa* a todo volumen, y la gente, como si nada", dijo Jessi, chupándose los dientes. "Yo no sé tú, pero a mí me gusta escuchar cumbia y bachata mientras disfruto de mi horchata helada en la playa. Y no puedo hacerlo en paz con esta gente blanca mirándome como si algo estuviera mal conmigo. Es como que, ¡no, wey, algo está mal contigo!" Exclamó mientras apuntaba hacia los surfistas blancos que acababan de pasar junto a nosotros.

"¡Cálmate!" Dije, tratando de tranquilizarla. "Pero sí, es verdad", señalé, y entonces le pregunté, "¿de qué otras formas es injusto todo esto de la segregación en la playa?"

Jessi entrecerró los ojos por el resplandor del sol y preguntó, "¿ves algún salvavidas en la playa *Kiddie Beach*?" Detecté un tono de disgusto en su voz.

Le eché un vistazo a *Kiddie Beach* y respondí, "¡no! Bueno, creo que hace poco construyeron una caseta de salvavidas, pero a decir verdad, no sé si en realidad hay alguien ahí".

"Exactamente", dijo ella satisfecha, como si se hubieran validado sus ideas. "Recientemente. Esa es la palabra clave. Probablemente después de que alguien estuvo a punto de ahogarse. En mi clase de desarrollo infantil aprendí que un niño puede ahogarse en menos de dos pulgadas de agua. Sé por experiencia que *Kiddie Beach* sólo es para niños por un par de pasos después de entrar al agua, después de eso el agua es bastante honda. Mientras más uno se adentra, por supuesto. Lo único que es 'de niños' es que no tiene oleaje. Pero sólo porque no haya olas no significa que no pueda ahogarse alguien".

"¡Es cierto! Creo que si realmente les importara la gente en *Kiddie Beach* tendrían como cinco salvavidas", dije encogiéndome de hombros.

"¡Seguro que sí! Definitivamente deberían tener más de un salvavidas, porque después de todo, hay muchos niños ahí. ¿La quieren llamar 'playa de niños', pero nadie quiere tratar a los niños como niños?" Dijo con ironía. "¿Ves eso allá?" Y apuntó hacia el puesto de *hot dogs* cerca de la playa de los blancos.

"Sí. Qué bueno es tener comida cerca cuando uno va a nadar. Después de nadar y correr le da hambre a uno, ¿no?" Agregué.

Ella se rió, "eso es irrelevante. Esa es otra forma en la que discriminan contra los/as/xs mexicanos/as/xs en la playa *Kiddie Beach*".

"¿Qué? ¿Cómo?" Pregunté con impaciencia, pelando los ojos.

"Bueno", dijo Jessi, "debe ser agradable tener acceso inmediato a comida en la playa. La gente en la playa de los blancos no tiene que cruzar una calle con mucho tráfico y

27

una intersección con cuatro señales de alto para comprar sus antojitos en la tienda de la esquina. Tienen la comida ahí mismo en la arena, como si estuvieran en un hotel de cinco estrellas".

Me reí, porque estábamos hablando de un simple puesto de *hot dogs*, no un restaurante de comida elegante.

Ella continuó sin dudar, "¿tú crees que permitirían que el elotero vendiera elotes y raspados en la playa *Kiddie Beach*?" "¡Claro qué no!" Dijo antes de que yo pudiera contestar. "Tan pronto como vean a unos cuantos niños/as/xs mexicanos/as/xs chupando elotes amarillos y jugosos, van a llamar a la policía y confiscarán los raspados y los elotes, porque es 'ilegal' vender esas cosas en Oxnard. ¡Pero ahí tienes a esa señora blanca vendiendo *hot dogs*, y muy caros, en público, en la playa y delante de todo el mundo! ¡Con un puesto oficial y hasta con un cartel! Y yo aquí sacudiendo la cabeza", renegó.

"¡De veras! ¡Debería ser 'ilegal' vender *hot dogs* a ese precio!" Me reí de mi propia broma. "No manches. Hablando en serio, eso es injusto. Tú sabes que yo no sirvo para cocinar, pero hasta yo sé que tanto los *hot dogs* como los elotes se hierven en agua caliente. ¿Cuál es la diferencia? ¿Por qué los eloteros no pueden vender elotes en la playa?" Pregunté.

"Porque esta playa es racista hasta la madre", replicó ella sin sonreír. "Los *hot dogs* son un alimento básico de los americanos blancos, mientras que el maíz es fundamental en la comida mexicana e indígena. ¿Cómo nos vamos a atrever a darle una posición privilegiada a los elotes por encima de los *hot dogs*? ¡Esto es Mérica!" Dijo ella con sarcasmo.

Me reí a carcajadas, porque sé cuánto ella se enoja cuando la gente dice "Esto es 'Mérica". "Suena ridículo, pero no está muy lejos de la verdad. En los Estados Unidos tratan de que todos seamos iguales, dejando nuestra cultura para adoptar la de ellos. Pero en serio, toda esta plática sobre la comida me está dando hambre. ¡Vamos a Taco de México!" Sugerí, y sabía que ella estaría de acuerdo.

"Solo si prometes compartir la información que te acabo de dar con todos tus amigos/as/xs mexicanos/as/xs que ingenuamente van a la playa de los blancos todos los días", respondió ella mientras me daba un empujoncito juguetón.

"Sí, lo haré… Si me disparas un burrito".

*Esta historia fue inspirada por, y basada en mi estilo de escritura favorito, por Michele Serros, *"Attention Shoppers"* ("Atención, compradores")

"Oxnard, no pierdas la clase"

En los últimos años el distrito escolar ha hecho un gran esfuerzo por aumentar el vocabulario de los estudiantes en la escuela intermedia BrownStock Junior High School en la parte de Southside Oxnard. Los resultados de las pruebas de lectura han sido históricamente bajos, así es que los administradores escolares han decidido que entre más contacto tengan los estudiantes con palabras "elegantes" elevarán los pésimos resultados de los exámenes. Como en la mayoría de los casos, a los maestros de BrownStock les dan sus instrucciones, pero casi nada de entrenamiento y recursos para implementarlas bien. Tienen que arreglárselas como puedan para resolverlo. Las instrucciones son simples. Mientras que que estuvieran aumentando el vocabulario de sus estudiantes, lo que sea que esto signifique, estarían siguiendo la orden propuesta.

Fue entonces que la profesora Gómez tomó este asunto en sus manos. Había obtenido su credencial de profesora recientemente y estaba llena de entusiasmo. Además, su especialización secundaria en la universidad había sido en derechos humanos y justicia social. Su interés por la justicia social venía de sus experiencias y las observaciones que hizo al crecer en Southside Oxnard. Como le dieron la oportunidad de dar clases en su comunidad, hizo énfasis en instruir sobre las injusticias sociales a sus estudiantes de octavo grado de secundaria.

"La palabra para hoy es *racismo interiorizado*", dijo la profesora Gómez con entusiasmo, sonriendo y mostrando sus blanquísimos dientes. Al contrario de otros días, los estudiantes no renegaron en voz baja diciendo: "¿A quién le importa?" Así como lo hacen siempre cuando la profesora menciona palabras más académicas, como por ejemplo "esotérico" u "omnipresente". Esta vez le pusieron toda su atención a la profesora Gómez.

"¿Alguien ha escuchado hablar del racismo interiorizado?" Preguntó la profesora Gómez, esperando que algunos estudiantes ya conocieran este concepto.

"Yo he oído hablar del racismo, pero nunca del racismo... interio-", respondió Juanita, tartamudeando cuando trataba de pronunciar "racismo interiorizado".

"Racismo in-te-rio-ri-za-do", repitió lentamente la profesora Gómez, para ayudar a Juanita a pronunciarlo correctamente. "Bueno. Entonces, ¿Qué significa racismo, Juanita?" Preguntó pacientemente la profesora.

"Por lo que sé, racismo es cuando alguien discrimina a otra persona por su color de piel o su cultura. Vi un video en YouTube que decía que la gente se hace racista porque cree que su propia raza o y cultura son mejores, o algo así. Bueno, eso es lo que decía el video", respondió Juanita tímidamente, sin parecer segura de estar en lo correcto.

"Gracias, Juanita. Ese es un buen punto para empezar. Claro que el racismo es más complicado que eso, pero esa es una buena explicación", le dijo de manera alentadora la profesora Gómez. "Bien. Entonces, qué quiere decir racismo interiorizado?" le preguntó la profesora a toda la clase.

"Interiorizado significa que uno cree lo que dice la sociedad, así que en este caso significa que uno cree en el racismo, ¿verdad?" dijo Felipe con seguridad.

"No necesariamente", respondió la profesora rápidamente.

Sabiendo que tenía poco tiempo, debido a tener que cubrir el resto del programa, la profesora Gómez escribió la definición en el pizarrón, leyéndola en voz alta, "Racismo interiorizado es cuando la gente cree en las actitudes y creencias racistas hacia los miembros de su propio grupo étnico/racial, incluidos ellos mismos. Por ejemplo, un mexicano cree que todos los/as/xs mexicanos/as/xs son flojos, y que por eso dependen de la asistencia social del gobierno".

Gómez continuó, "En mi opinión, la mejor manera en que la gente puede aprender nuevo vocabulario es a través de ejemplos personales de cómo las palabras se han usado en su propia vida. Entonces, ¿creen que la gente en Oxnard experimenta racismo interiorizado?"

Los treinta estudiantes la miraron confundidos y en silencio. Después de varios segundos, César levantó la mano, indeciso, "No sé los demás; pero yo experimento racismo interiorizado".

"¿Cómo, César?" le preguntó en tono empático la profesora Gómez.

"Cuando yo era niño, mi familia y yo íbamos al centro comercial *Centerpoint Mall* ahí en *Saviors* y *Channel Islands*. ¡Íbamos ahí para todo! A comprar comida, juguetes, ropa. *Mervyn's* era el lugar para comprar uniformes escolares. La comida china era buenísima y barata también. Mis padres alimentaban a nuestra familia por menos de veinte dólares. Además de ir con mi familia, también iba con mis amigos, y a veces solo. Iba ahí para comprar mis accesorios para la patineta en la juguetería *A-Z Toys*. Me la pasaba ahí a cada rato".

Ricardo interrumpió con impaciencia, "¡Yo me acuerdo de esa tienda! ¡Casi me patrocinaron por mi destreza con la patineta cuando tenía 11 años!"

"Estoy impresionada, Ricardo", dijo la profesora Gómez, asombrada por los logros de Ricardo.

"Sí, yo también", dijo César, sonriendo y cerrándole el ojo a la profesora, después dijo: "De todos modos, cuando fui creciendo, a propósito dejé de ir ahí. De hecho, empecé a llamarlo 'CheddarPoint Mall,' como todo el mundo".

"¿Qué quieres decir con 'cheddar'?" Preguntó la profesora Gómez a César, para aclarar el comentario.

"Cheddar, queriendo decir mexicano, 'mojado'. Usted sabe. Es algo bien racista" dijo, "era vergonzoso comprar en ese lugar, porque había muchos 'cheddars' ahí. Hasta hacía que mi familia me llevara en el carro hasta el centro comercial de Ventura, a veinte minutos de distancia, sólo para comprar zapatos, porque pensaba que todo lo que vendían en el centro comercial *Centerpoint Mall* tendría que ser imitación barata dado que había tantos mexicanos ahí".

"Es cierto", dijo su compañera Angélica. "Yo también dejé de comprar ahí después de que alguien se burló de mí, llamándome 'chunti' y 'cheddar' por tomar fotos con mis amigas en ese centro comercial".

"Sí, no me gusta admitirlo, pero interioricé el racismo", confesó César. "Vendían música mexicana, sombreros y botas vaqueras, por eso tenía sentido decirle *CheddarPoint Mall*. Todo eso me daba vergüenza. No me daba cuenta de que yo soy mexicano y de que mi papá se vestía así, de manera que

34

yo debía sentirme orgulloso. En vez de eso, estaba menospreciando a mi propia familia y a mi cultura. ¿Por qué? Ni siquiera lo sé. Supongo que no era 'chido' ser mexicano".

"Pues así es como funciona el racismo interiorizado", dijo la profesora Gómez dándole una palmadita en la espalda. "Las personas hacen menos a su propia gente porque han interiorizado la creencia de que su propio color de piel y su propia cultura son menos que la de los demás, por eso se tiene que corregir o cambiar. Gracias por compartir tu experiencia personal, César. Ese es un ejemplo muy bueno de cómo se da el racismo interiorizado en Oxnard. Tenemos tiempo para un ejemplo más. ¿Alguien más quiere compartir?"

"Usted sabe qué es Instagram?" Le preguntó Alejandra a la profesora.

"¡Pues claro que sí! ¿Qué estás tratando de decir? ¿Me veo tan vieja?" Le respondió la profesora Gómez sarcásticamente, mientras que se sonrojaba. Los estudiantes se rieron.

"Creo que tengo un ejemplo de racismo interiorizado que tiene que ver con Instagram".

"¿Cuál es?" Preguntó la profesora Gómez.

Alejandra continuó, "Muchos de mis amigos y yo seguimos esta cuenta en Instagram que se llama 'StayClassyOxnard' (Oxnard, no pierdas la clase)".

Esmeralda dijo, "Ay, esa página es muy chistosa".

"Yo también pensaba que esa página era cómica, hasta ahora que estamos conversando de este tema", comentó Alejandra como retando a Esmeralda. "Muy seguido, esta cuenta sube fotos de gente de Oxnard, en su mayoría mexicana, o por lo menos se supone que lo son, haciendo cosas redículas. Así es que, básicamente, el nombre de la página '*StayClassyOxnard*' ('Oxnard, no pierdas la clase') es sarcástico, porque sólo buscan burlarse de la gente mexicana de Oxnard por ser lo opuesto a 'elegante'. Es obvio que mucha gente que aparece en las fotos está tratando de hacer lo que puede con lo poco que tiene. Por ejemplo, recientemente esta página publicó una foto de un carro que tenía un trapo en lugar de limpiaparabrisas. No todos pueden comprar un limpiaparabrisas nuevo. Cuando uno es pobre, tiene que improvisar y resolver con lo que tiene".

Julío intervino de manera comprensiva, "¡Eso es cierto! Mi familia hace esto todo el tiempo. Mi tío instaló en su carro un estéreo para casa cuando se le quemó un fusible al de su carro. Seguro que se veía cómico, pero toca música. Para mí eso es lo que cuenta, que funcione".

"'*StayClassyOxnard*' también se burla de la gente sin hogar", gritó Erica desde el fondo del salón. "El primo de mi mejor amiga, que no tiene casa, apareció en esta cuenta durmiendo en un carrito del supermercado. Sí, puede parecer cómico al principio, pero en primero lugar; él no tiene casa, y segundo, también tiene una enfermedad mental. En lugar de recibir ayuda médica o un lugar para dormir, le dieron 200 'likes' en Instagram. ¡Esos seguidores de '*StayClassyOxnard*' en Instagram no son espectadores inocentes!" Algunos de los compañeros de Erica se le quedaron mirando, mudos, sabiendo que ellos mismos le habían dado "like" a algunas de esas fotos.

Al notar que habían estado hablando diez minutos acerca de la palabra del día, la profesora Gómez interrumpió, "Sí, ese es otro buen ejemplo de cómo la gente en Oxnard ha interiorizado no sólo el racismo, sino también el clasismo, como lo ha señalado Erica. Generalmente la internalización de los 'ismos' es algo inconsciente y se ve como algo chistoso pero al tiempo trae graves consecuencias. La gente termina odiándose a sí misma y a sus comunidades. El racismo interiorizado también mantiene vivos los estereotipos. Antes de ir a la universidad y aprender sobre el racismo interiorizado y otros temas, yo odiaba y me avergonzaba de ser de Oxnard, especialmente por su población principalmente mexicana. De hecho, yo decía que era de Ventura o Camarillo. Pero ahora desafío a la gente siempre que oigo que hacen menos a los suyos, especialmente a mi gente de Oxnard. Ustedes deben hacer lo mismo", dijo orgullosamente la profesora Gómez, mirando fijamente los ojos de sus estudiantes.

"De todos modos, mañana hablaremos sobre la gentrificación y sobre si esto está pasando en Oxnard", les dijo la profesora en tono de suspenso.

"¿Cómo se escribe eso?" Preguntó Leonardo, con la pluma en la mano para escribirlo todo.

"Vengan a clase mañana y lo sabrán", prometió la profesora Gómez.

Olvídate de Microsoft Word

En los últimos años, el programa de Estudios Chicanos en el colegio comunitario local en Oxnard, ha tenido problemas de poco público asistente a sus clases. Por un lado, los administradores y algunos profesores de otras disciplinas y departamentos se preguntan si la razón a esto es porque no es una carrera "real" y muy pocos empleos pagan lo suficiente a los graduados de esta maestría, por lo que hay pocos incentivos para especializarse en ella. Por otro lado, los profesionales de los Estudios Chicanos argumentan que no hay suficiente apoyo institucional. En particular, comentan que la mayor parte del dinero y el contrataciones en el colegio comunitario se ha destinado a las áreas de ciencia, tecnología, ingeniería y matemáticas, las llamadas STEM por sus siglas. En consecuencia, se dice que explícita e implícitamente se envía un mensaje a los estudiantes, sugiriendo que los Estudios Chicanos simplemente no son importantes.

Este semestre, solo cuatro estudiantes se inscribieron enel curso "Introducción a los Estudios Chicanos": Tres mexicanos (Luís, Jimmy y Jorge) y una mexicana (María). La profesora Pérez impartió el curso a pesar de los pocos alumnos inscritos porque cree firmemente en la idea de que la calidad siempre es mejor que la cantidad. La discusión es mucho mejor cuando hay menos estudiantes por dos razones: tienden a conocerse mejor y no pueden esconderse en la parte trasera del salón. Además, sabía que si el colegio comunitario no le permitía impartir el curso, entonces podría confirmar que la escuela en sí misma es sin duda poco solidaria con los estudios étnicos y por eso, racista.

Al igual que en los semestres anteriores, el primer día de clase fue inolvidable. La profesora Pérez no perdía el tiempo. Tan pronto los cuatro estudiantes se sentaron, les puso un documental sobre "Destino Manifiesto" o la creencia de que la expansión de los Estados Unidos en todo el continente norteamericano estaba justificada porque el pueblo indígena y los/as/xs mexicanos/as/xs eran 'salvajes' que tenían que 'civilizarse' y ser 'salvados'.

Antes de conversar sobre el documental, la Profe Pérez pensó que sería una buena idea conocer los nombres de los estudiantes, por lo que procedió a nombrarlos de la lista de asistencia. "¿María del Refugio Barajas?"

"Aquí", respondió María sin dudarlo.

"¿Luís Alberto Magaña?" La Profe Pérez miró a los estudiantes.

"Presente profe", dijo Luís en español fluido, enfatizando el 'profe'.

"¿Jaíme Peña?" Después de cinco silenciosos segundos, nadie levantó la mano. "¿Jaíme?" Repitió la Profe Pérez mientras observaba a los cuatro estudiantes de la clase. Nuevamente, nadie respondió. "¿Jaíme Roberto Peña?" Preguntó la Profe Pérez con impaciencia una última vez.

"Oh, es Jimmy, voy por Jimmy, por favor llámame Jimmy", dijo Jimmy después de escuchar su segundo nombre.

Los tres estudiantes y la profe lo miraron confundidos. Instintivamente, la Profe Pérez vio esto como una oportunidad para conectarse con el "Destino Manifiesto" y otras futuras conversaciones.

"Entonces Jimmy, ¿por qué prefieres que te digan Jimmy en lugar de Jaíme?" Le preguntó la Profe Pérez con curiosidad.

"Hmmm. . ." Jimmy reflexionó en voz alta mientras se rascaba la barbilla. "Bueno, un par de razones. La primera es que nadie ha cuestionado este nombre. De hecho, mis maestros de secundaria preferían llamarme Jimmy en lugar de Jaíme porque era muy difícil de pronunciar, y estoy de acuerdo con eso".

Continuó ingenuamente, "la segunda, y creo que esta es la verdadera razón, siempre he obtenido las mejores calificaciones en todas mis clases. Soy un muy buen estudiante. Específicamente, soy muy bueno para seguir instrucciones. Comento lo anterior porque que cada vez que escribo un documento, siempre uso un corrector ortográfico en mi computadora. Esas son las instrucciones que mis maestros me dieron, por eso las sigo lo más de cerca posible. El programa *Microsoft Word* marca una línea roja debajo del nombre de Jaíme, pero no lo hace debajo del de Jimmy. Entonces, automáticamente pensé que Jimmy es la versión correcta de mi nombre. Y es por eso que preferí el nombre de Jimmy".

Profe Pérez era consciente de que la americanización del nombre de Jaíme era precisamente el resultado del "Destino Manifiesto". Por esa retorcida lógica colonial, el nombre real de Jaíme es 'salvaje y sucio', mientras que Jimmy es 'civilizado y limpio'.

En lugar de ponerse a dar explicaciones a él y a todos los demás, la Profe Pérez comenzó la discusión y preguntó: "¿Alguien quiere responder a la explicación sobre la preferencia de Jimmy por su nombre?"

Jorge levantó su mano con confianza, "por cierto, mi nombre es Jorge, todavía no llegamos a mí", continuó mientras miraba directamente a Jimmy. "Veo conexiones directas entre la explicación de Jimmy y el documental corto que acabamos de ver. Me parece que tu nombre, Jaíme, ha sido colonizado. Vivimos en una sociedad donde se espera de nosotros que nos olvidemos de nuestros lazos culturales. Algunas veces esto significa que cambiemos nuestros nombres indígenas o mexicanos para que suenen más 'estadounidenses', que suenen más acorde al idioma inglés, con la esperanza de ser aceptados por esta sociedad".

"Estoy de acuerdo", intervino María sin disculparse, "¿ni siquiera sabes cuántas veces mis maestros blancos y los llamados amigos blancos me han llamado 'Mary?' Cada vez, los corrijo, 'Como no, cariño, es María del Refugio, para ser exactos. ¡Vamos, repitan! ¡Escuchen esto, Ma-rí-a!' Hago esto porque me importa mi cultura, mi gente, mis historias, mi lengua, aunque sé que es el idioma del colonizador".

Jimmy silenciosamente miró su laptop y fingió que estaba tomando notas. Nunca le habían pedido que pensara críticamente sobre su identidad o experiencia cultural. De hecho, él nunca había tomado un curso de Estudios Étnicos, y esta conversación lo sacudió por completo. Sabiendo que la tensión se estaba acumulando, la Profe Pérez se unió a la conversación para generalizar el comportamiento social en lugar de centrarse en Jimmy como individuo. "Entonces, ¿de dónde sacamos los mensajes de que nuestra cultura es inferior y que necesita ser civilizada y salvada?"

Jorge levantó su mano, "¡creo que lo conseguimos de todas partes! Películas, programas de TV, redes sociales, libros, maestros, etc. Pero quiero reconocer que el ejemplo de

Jimmy, el programa *Microsoft Word* nos hace pensar en las sutiles maneras en que nuestra cultura es minimizada".

"Y si", María gritó con emoción. "Mi primo mayor, Ramón, acaba de graduarse después de cuatro años de universidad el año pasado. ¿Puedes creer que la universidad no le permitió poner el acento sobre la 'o' en su primer nombre para su título? ¡En lugar de su verdadero nombre pasó a ser Raymond! Ni siquiera sé por dónde empezar a analizar qué mensajes le envían a él, a sus padres y hermanos, e incluso a sus futuros hijos. Te lo aseguro, esa es una forma en que las universidades hacen menos nuestra cultura mexicana".

La cara de Jimmy se puso roja por la frustración y la confusión. Sin vacilar, dijo en un tono fuerte y firme, "¡de ahora en adelante ya no me digan Jimmy, por favor LLÁMENME JAÍME!" Continuó con una mezcla de emoción y frustración, "estoy más que avergonzado de cómo he interiorizado estos mensajes negativos sobre mí, sobre mi familia, y mi cultura".

Antes de que Profe Pérez se acercara a él para darle consuelo, Jaíme se puso de pie y gritó: "¿Sabes qué? ¡Olvídate de *Microsoft Word*!" Por frustración, recogió su nueva *laptop* de la marca más cara y la aventó a la pared más cercana. La pantalla se rompió y la barra espaciadora salió volando del teclado.

Todos, incluida la Profe Pérez, lo miraron con ánimo. "¿Será posible?" Se preguntaron los estudiantes. El espíritu Chican@ había entrado en su cuerpo delante de los ojos de todos.

Luís se levantó de su silla y gritó levantando su puño: "¡Sí, olvídate de *Microsoft Word*!"

Hablando español sin vergüenza

Jacobo raramente tomaba el autobús local de Oxnard. No porque le diera vergüenza o no lo pudiera pagar. La verdadera razón fue porque tarda mucho tiempo. ¿Por qué tomarse 45 minutos para llegar a algún lado, cuando pudo llegar en una patineta en sólo 15 minutos? se quejaba. Para él, el autobús siempre era tentador por cierto placer del viaje y la experiencia, ya que la gente pobre y los drogadictos son quienes más lo usan. Jacobo había escuchado que con $ 1.50 se podía pagar por paseo y entretenimiento. Una vez, él y su amigo Tomás, tomaron el autobús hasta un almacén de camisetas porque estaban demasiado cansados para patinar hasta allá. Bueno, Tomás estaba cansado, pero Jacobo acababa de comprar unos zapatos nuevos, y no quería tener ampollas.

De todos modos, en este viaje, valió la pena lo que pagó Jacobo. Desafortunadamente, no fue testigo de una pelea ni vio a alguien cantando y bailando como si estuvieran audicionando para "Sábado Gigante" a cambio de algunas monedas. Al contrario, aprendió una valiosa lección que nunca olvidaría. Se dio cuenta que él es como un pegamento en su comunidad de Oxnard. Esto significa que mantiene unida a su comunidad y la mantiene funcionando debido a que es bilingüe, se podría afirmar que él juega un papel más importante que el alcalde de la ciudad.

Como mexicano-americano que creció en el sur de California, aprendió y habla español. De hecho, sus padres sólo hablan español. Aunque toda su familia inmediata se comunica en español dentro y fuera de su hogar, poco a poco él comenzó a avergonzarse y no quería hablar español en público. Esto, a pesar de vivir en un vecindario en el que sólo se hablaba predominantemente español. Para estar seguro, en este oportuno viaje en autobús, se dio cuenta de todas las importantes responsabilidades que podía cumplir debido a su habilidad para hablar dos idiomas.

Aproximadamente a los diez minutos de su viaje en el autobús, una viejita mexicana que empujaba un carro de mandado se subió al autobús, se acercó a Jacobo y le preguntó en español: "¿Mijo, cuál es la parada para la clínica de salud en la calle *Hobson*?"

Jacobo entendió perfectamente su pregunta en español, pero le respondió en inglés: "*In three stops*" ("En tres paradas").

La viejita entrecerró los ojos como si hubiera probado algo amargo y de inmediato le contestó: "¿Qué? ¿Qué significa eso?"

Jacobo la miró, permaneció en silencio y levantó tres dedos para que al menos pudiera entender su gesto con la mano mientras repetía lentamente en inglés: "*In three stops, you get out*" ("En tres paradas te bajas").

Nuevamente, ella lo miró confundida.

Cuando su parada se acercó, Jacobo dijo, "*here*" ("aquí") y señaló a la puerta más cercana. La viejita le dijo "gracias" y luego bajó del autobús.

Al haber visto esta injusticia, Tomás le preguntó de manera suave a Jacobo: "¿Porqué hiciste eso?"

"¿De qué hablas?" Respondió Jacobo.

"¿Qué no hablas español de manera fluida? ¿Por qué no le respondiste en español a la viejita? Le hubieras evitado tanta confusión", dijo Tomás.

"Sí, hablo español, pero no entiendo por qué tengo que hablarlo todo el tiempo. ¿Qué no vivimos en Estados Unidos? El idioma oficial de este país es el inglés, entonces porqué no puedo hablar sólo en inglés", contestó con tono de frustración Jacobo.

"Estás mal", le dijo Tomás empujándolo suavemente, "a mí me gustaría hablar muchos idiomas. Especialmente viviendo en Oxnard. Hablaría cualquier idioma sin vergüenza porque me doy cuenta de las ventajas que eso tiene. Hasta el día de hoy, me siento un poco mal porque mis padres nunca me enseñaron español".

"¿Qué quieres decir?" Preguntó Jacobo con sincera curiosidad.

"Bueno, si vives en Oxnard y sabes hablar español e inglés, entonces prácticamente tienes la llave de la ciudad. Ya sabes cómo es aquí en Oxnard. Hay mucha gente que sólo habla español, así que si hablas español eres capaz de comunicarte con todos sin perderte de nada. Te sería más fácil comprar paletas mexicanas en el *swap meet* los domingos. Y a decir verdad, a lo mejor hasta te darían descuento", dijo Tomás riéndose.

"¡Neta! Pero en realidad, aparte de las conversaciones en supermercados o restaurantes, si eres bilingüe en Oxnard, entonces estás en la posición de tener un gran impacto en la comunidad. ¿Te acuerdas de mi primo David?" Le preguntó Tomás a Jacobo.

"¿El que la piel súper clara, el cabell rubio y los ojos verdes?" Respondió Jacobo con confianza.

"Sí. Ese es él. También habla español con fluidez, ya que sus padres sólo hablan español. Cada vez que lo visito, me doy cuenta de que siempre traduce para sus papás. De hecho, la semana pasada durante la reunión de regreso a clases, sirvió como el intérprete oficial entre su mamá y la maestra. Te lo digo en serio, él siempre está traduciendo durante las reuniones escolares y sin cobrar nada. La escuela debería pagarle por hacerlo", Tomás asintió moviendo su cabeza.

"Yo también lo he hecho", respondió Jacobo mientras se golpeaba el pecho de manera orgullosa. "Todos los meses traduzco las facturas médicas de mi papá y también pago la mayoría de los recibos. Bueno, mis padres técnicamente las pagan, pero como hablo inglés, soy su representante de pagos. Yo soy el que habla con la persona de servicio al cliente en la recepción", aclaró Jacobo.

"¡Te das cuenta! ¡A eso es a lo que me refiero! Imagínate que te pones en huelga y no traduces para tus papás, aparte de que te van a poner una chinga, ellos estarían perdidos sin tu ayuda. Tu papá no podría pagar sus recibos o recoger sus recetas médicas. Aparte de eso, ¡todos ustedes no tendrían televisión por cable! No más Bob Esponja", dijo Tomás medio bromeando.

Jacobo sonrió, "Bueno, si tengo un papel tan importante en mi comunidad porque puedo hablar dos idiomas, ¿por qué no tenemos más clases bilingües en nuestras escuelas?"

"Todavía estoy tratando de entender eso, no tiene sentido para mí tampoco", respondió Tomás y se encogió de hombros.

"Quisiera ue mi tío Roberto estuviera aquí para explicárnoslo. Fue debido a que le avergonzaba hablar español cuando era chico que hizo un trabajo de investigación

49

en educación bilingüe como proyecto final en su universidad. De lo que recuerdo, me dijo que la idea de que su lengua nativa, el español, era inferior al inglés fue una noción que se le enseñó muy temprano en su niñez en toda su vida escolar", agregó Tomás.

Jacobo escuchó en silencio y poniendo mucha atención.

Tomás continuó: "Habló sobre cómo los programas e iniciativas de habla solamente en inglés en las escuelas a las que asistió se centraron únicamente en las ventajas de hablar inglés con fluidez e inteligencia, en lugar de enfatizar la importancia y la necesidad de ser bilingüe. Esto lo confundió porque sus padres también confiaban en él como un traductor a donde quiera que iban, desde los mercados hasta la escuela. Debido a esto, siempre se ha preguntado cómo y por qué California, que tiene una de las poblaciones bilingües más grande de los Estados Unidos, no sólo exterminaría los programas bilingües, sino que también discriminaría a los estudiantes que hablaban español. Le desconcertó que un estado con tantas personas bilingües eliminara un programa que finalmente beneficiaría a sus estudiantes, comunidades, y tal vez hiciera mejores las experiencias educativas de los hablantes nativos de español".

"Sí, tampoco no tiene sentido para mí. ¿Por qué se llevarían algo tan crucial para nuestra existencia como hispanohablantes? Puedo entender a tu tío. En serio. Suena muy chido el proyecto. ¿Te dijo por qué ya no hay programas bilingües en nuestras escuelas?" Preguntó Jacobo.

"Me acuerdo que me contó, pero fue hace un año, así que no puedo recordar todo, nada más unas cuantas cosas importantes", confesó Tomas. "Recuerdo que incluyó un meme de un lavaplatos latino que decía, 'Antes no sabía inglés y era lavaplatos. Ahora sé inglés y soy dishwasher (lavaplatos)', para subrayar la idea de que el idioma inglés no es equivalente al éxito. Esta es una explicación, según mi tío, las personas en los Estados Unidos tienen la idea equivocada de que si aprendes inglés, automáticamente serás más exitoso, pero el meme nos dice lo contrario. Para él, no es tan fácil: un gran problema es la discriminación basada en el color o el aspecto de la persona. Entonces, incluso si las personas aprenden inglés a la perfección, pero se visten o se ven de cierta manera, como consecuencia, no serán contratados", dijo Tomas con frustración.

"Sí. Ya he visto antes algo así", respondió Jacobo. "Mi vecino se graduó de la escuela secundaria con honores en la materia de inglés y en la universidad comunitaria donde estudió inglés, pero debido a que tiene un tatuaje en el cuello y es moreno, no ha podido obtener un trabajo estable y decente".

"Por cierto, nuestra parada se acerca". Jacobo le recordó a Tomás.

Tomas asintió con la cabeza. "También recuerdo a mi tío hablar sobre cómo los idiomas y las culturas en los Estados Unidos se clasifican de mejor a peor. El inglés es visto como el mejor, por lo que cualquier otro idioma es visto como menos. Dio un ejemplo de cómo los nativos americanos fueron despojados de sus propias formas únicas de hablar, conocer y vivir porque eran diferentes a los estadounidenses blancos. Luego relacionó esto con lo que sucedió en 1998, cuando California aprobó oficialmente una ley para prohibir la educación bilingüe. Dijo que las personas en el poder se sentían incómodas con la idea de que no podían entender una conversación entre sus estudiantes porque no podían controlarla".

Jacobo se chupó los dientes, "Todo esto está empezando a tener sentido para mí. Mis maestros no me permiten hablar español en clase porque probablemente piensan que estoy hablando de ellos a sus espaldas. . . y probablemente lo hago, No sirven para nada. Lo juro. Pero de todos modos, en este caso, tengo más poder que ellos. Eso es tan tonto. Nunca lo pensé así".

Tomás se rió, "Sí. Desearía estar en tu posición. Deberías llamar a mi tío Roberto. Él te dirá por qué es tan importante para ti continuar ayudando como traductor y mediador en tu comunidad. Habla de eso todo el tiempo, dice que los jóvenes bilingües no entienden su importante papel de mantener unida la comunidad de Oxnard".

"Lo haré", respondió Jacobo con entusiasmo. "Avenida Rose y calle Gonzales" anunció el altavoz del autobús.

"¡Jala el cordón, aquí es nuestra parada!" Gritó impaciente Jacobo mientras corría hacia la puerta con su patineta.

cuentas, una poca fama en televisión no valía la pena para nada.

Dado mi instinto natural de investigador y mi curiosidad en general, tengo respuestas discretas (digamos informales) que han venido de encuestas y han sido recolectadas por personas internas y externas de mi ciudad cuando les pregunto sobre lo que les viene a la mente cuando piensan en Oxnard. Por mucho, las cuatro respuestas más comunes son: la playa, las fresas, el boxeo y los cholos, específicamente *La Colonia*, un barrio y una pandilla en Oxnard. *La Colonia Chiques*, que nació del barrio empobrecido de *La Colonia*, es considerada una de las pandillas más grandes y peligrosas del condado de Ventura. Debido a esto, la narrativa principal que gira en torno a Oxnard es casi siempre negativa y criminal. Las historias sobre Oxnard están llenas de violencia de pandillas, drogas y criminales.

La Colonia Chiques y los *Dallas Cowboys* comparten algo muy importante: ambos utilizan la estrella del *Cowboys* para expresar su asociación y compromiso con una organización. Mientras que los fanáticos de los *Dallas Cowboys* usan ropa del equipo oficial para mostrar su lealtad, los miembros de la pandilla *La Colonia Chiques* también lucen la estrella de *Cowboys* para mostrar su lealtad a su pandilla. En otras palabras, el logo "oficial" de *La Colonia Chiques* es la estrella de *Cowboys*. Después de todo, la eliminación de la "w" en las camisetas de los *Cowboys* forma las palabras *"CO BOYS"*, abreviatura de "*Colonia Boys*" (Chicos de la Colonia).

55

Esta es precisamente la razón por la que tengo sentimientos encontrados sobre que los *Dallas Cowboys* vengan a Oxnard para entrenar. Si estamos tan preocupados por los problemas relacionados con las pandillas, ¿se beneficia de verdad la ciudad de Oxnard al permitir que los *Cowboys* entrenen aquí? Si así fuera, ¿para quién es el beneficio? ¿Cómo se invierte el dinero recaudado de este permiso de entrenamiento de los *Cowboys* en la ciudad, especialmente en áreas muy empobrecidas y deterioradas como *La Colonia*? Debido a que los beneficios que vienen con las prácticas de hospedaje no han sido publicados, siempre me ha parecido contradictorio traer un equipo que criminalizaría aún más a la gente de *La Colonia Chiques*, aunque ellos han estado muy vigilados desde hace mucho tiempo.

En mi adolescencia, mis intereses deportivos pasaron del fútbol al fútbol americano. Como era delgado y rápido, jugué como receptor y *cornerback* (esquinero). Como la mayoría de los niños, idolatraba e imitaba a los jugadores de fútbol de la NFL mientras jugaba al fútbol americano en los callejones y calles de mi barrio del *Blue Ghetto* con mis amigos. Uno de mis jugadores favoritos de la NFL era Terrell Owens (T.O.), un receptor de los *Dallas Cowboys*, por lo que trataba de imitarlo.

T.O era mi ídolo no solamente porque atrapaba todas las pelotas que le lanzaban, principalmente lo admiraba por su arrogancia y carisma, especialmente después de anotar un touchdown. T.O. era famoso por exagerar en sus

56

celebraciones de touchdowns. Sin esas celebraciones y bailes, el fútbol americano no hubiera sido tan entretenido. Mi celebración favorita fue cuando tomó palomitas de un aficionado, las puso en su boca y las lanzó a través de su casco como si se las estuviera comiendo. Sobra decir que era un jugador muy chingón. A pesar lo encantado que estaba con las actuaciones de T.O. en el campo de juego, muy dentro de mí, sabía que no me podía poner la camiseta de los *Cowboys* en ninguna parte de mi ciudad. A pesar de desearla muchísimo, nunca pedí o compré una camiseta de T.O. porque sabía que esto me traería problemas, más con la policía que con miembros de pandillas.

En Oxnard, California, está prácticamente prohibido ponerte ropa de los *Dallas Cowboys*. Leí en el periódico *Los Angeles Times* que en un momento dado era la única ciudad del país en la que por usar ropa de los *Dallas Cowboys* podía resultar en una multa o seis meses de cárcel. En el mejor de los casos, una persona mexicana con una camiseta de los *Cowboys* en Oxnard probablemente tendría en algún momento un altercado menor con la policía. Esto no es ninguna sorpresa. En 2004, la ciudad de Oxnard realizó con éxito un programa de interdicto de pandillas con la esperanza de reducir los homicidios y crímenes relacionados con pandillas. Este mandato estableció un toque da queda a las diez de la noche y prohibición de vestimenta relacionada con las de pandillas, gestos y códigos de pandillas así como las reuniones en público con otros miembros de pandillas identificados de *La Colonia Chiques*.

Más que nada, el programa de interdicto de pandillas de Oxnard permitió una interpretación muy subjetiva por parte de los oficiales al determinar a quién se le considera pandillero. El criterio utilizado para determinar quién es miembro de una pandilla le dio a la policía una gran flexibilidad para etiquetar como miembro de pandilla a cualquier persona, incluidos los jóvenes. Esto se debió principalmente porque el criterio se tomó de fuentes de segunda mano, como la interpretación del lenguaje corporal, ropa, chismes y la clasificación de los jóvenes tomando en cuenta el lugar donde vivían. Si hubiera comprado y usado una camiseta de T.O., de los *Cowboys,* podría haber sido identificado erróneamente como miembro de una pandilla, aunque nunca me he identificado de esa manera. Desafortunadamente, esto también significó que sería visto y penalizado como miembro de una pandilla.

En 2014, la ciudad de Oxnard hizo una de las cosas más inquietantes, ilógicas y contradictorias de la historia. Acordaron que los *Dallas Cowboys* jugaran con los *Oakland Raiders.* Aunque a simple vista esto no parece un problema, el conflicto surge cuando se toma en cuenta que *Southside Chiques*, una pandilla rival de *La Colonia Chiques* también ubicada en Oxnard, usa la ropa de los *Raiders*. ¿Por qué la ciudad de Oxnard estaría de acuerdo con esto sabiendo que esto no solo alentaría a los residentes de Oxnard a usar ropa "afiliada a una pandilla", sino que también crearía aún más odio entre las pandillas locales? Desde el punto de vista de lo económico (es decir, subsidios), esto tiene perfecto sentido.

Estamos hablando de puro negocio.

Una verdad que muy seguido se esconde es que el porcentaje de delitos que se genera en una ciudad, determina la cantidad de dinero que se puede obtener a partir de las fuentes de subvenciones para la reducción del delito. En otras palabras, mientras más "crimen" tenga una ciudad, más dinero recibirá la ciudad para ayudar a reducirlo. Esto tiene sentido ya que todos queremos reducción del crimen. Sin embargo, al analizarlo más de cerca, resulta obvio que, debido a los intereses de generar dinero para la ciudad, el departamento de policía tiene la inclinación de etiquetar como cholos a la mayor cantidad posible de personas, aunque ellos no se consideren como tales. Por lo tanto, en lugar de decir: "Se necesita dinero para ganar dinero", se puede decir: "Se necesita de los delitos para hacer dinero". Esto se conoce como complejo industrial de prisiones, que es un término utilizado para describir los intereses superpuestos del gobierno y la industria que utiliza la vigilancia y el encarcelamiento como soluciones a problemas económicos, sociales y políticos.

Muy seguido escucho a gente de mi ciudad quejarse: "No se vistan como cholos y la policía no los acosará". Tengo muy poca paciencia cuando escucho esta respuesta porque sé cómo funciona una orden judicial contra pandillas. Estoy consciente de que se juzga muchísimo tanto a jóvenes y adultos como miembros de pandillas. Soy consciente de que independientemente de mi título universitario y mi aspiración de alcanzar el doctorado, debido al color de mi piel y la

59

preferencia de la ropa, puedo ser considerado un cholo y, posteriormente, acosado como si fuera pandillero, tanto si llevo una camisa de un tamaño demasiado grande o si accidentalmente no uso un cinturón y dejo que mis pantalones se vean muy flojos. También si uso mi gorra al revés porque sé que ese es el estilo de moda. Incluso si llevo el cabello muy corto, casi rasurado, simplemente porque me gusta ese peinado. O peor, si soy un adolescente con la camiseta de mi jugador favorito de los *Cowboys*, no nada más porque lo quiera imitar sino porque también quiero hacer mis propios bailes mientras juego al fútbol americano. O tambien si quiero llevar puesta la camiseta mientras lo hago, nada más por eso, porque tengo derecho a hacerlo si se me antoja.

* Esta historia fue proporcionada por el reporte, "Un informe sobre la mala gestión sistémica del programa y las prácticas de conflicto de intereses dentro de la ciudad de Oxnard y su operación "Eliminación de pandillas", preparado por la Liga de Ciudadanos Latinoamericanos Unidos, Condado de Ventura, California.

¿Estás bajo libertad condicional?

Durante un bello y ordinario día de verano de Oxnard, la novia de David lo invitó a una fiesta de la comunidad en la intersección de la calle *Wooley* y la avenida *Victoria*, cerca del puerto de Oxnard. Este es uno de los lados más ricos de la ciudad. Al principio David no quería ir porque sabía que la comunidad está compuesta en su mayoría de gringos blancos jubilados. Sabía que él y su novia serían los únicos dos mexicanos en esta fiesta, pero decidieron ir en cuanto se enteraron de que la comida la iba a preparar personal del restaurante El Pollo Norteño, era algo que no se podían perder. No es sorprendente que, tan pronto como llegó, David notó de inmediato que en esta fiesta había muchos gringos blancos, algunos de los cuales le dijeron que vinieron a Oxnard únicamente para vivir como jubilados; estos comentarios confirmaron su hipótesis de que estas personas no eran originarias de Oxnard.

Pasó como una media hora y sucedió algo que David nunca había visto antes en sus 19 años de vivir en Oxnard. Dos policías llegaron a la fiesta sólo para pasar el rato, platicar y comer. De hecho, ambos oficiales hablaron por el micrófono para compartir con todos la importancia de mantener fuertes lazos entre la comunidad y la ley. Después de sus discursos, distribuyeron tarjetas de presentación y hablaron individualmente con quienes se les acercaron con inquietudes o preguntas. Incluso les regalaron letreros con mensaje de apoyo a la policía; los vecinos acordaron colocar estos letreros enfrente de sus jardines. David estaba en un choque cultural extremo. No sólo porque la gente tomó los letreros, sino porque esto es algo que nunca sucede, bueno, al menos no a él. Por lo general, cada vez que veía oficiales en fiestas de sus amigos y familia, era para transmitir una queja o para dar por terminada la fiesta. Raramente aparecen de manera proactiva para pasar el rato y jugar con los niños. Lo más probable es que la presencia de la policía y las interacciones posteriores hayan sido abrumadoramente negativas en lugar de positivas.

Hasta el día de hoy, David siente algún tipo de problema con la policía porque ha visto personalmente y experimentado la separación de familias por las fuerzas públicas. Dicha ruptura entre las familias no ha sido necesariamente a través de la violencia con armas de fuego, como el tiroteo o la muerte de un miembro de la familia, sino a través de otros medios de vigilancia policial. Mientras estudiaba en la Universidad de California en Los Angeles (UCLA), David iba a su casa cada quince días para visitar a familiares y amigos. En una de estas visitas a Oxnard, su vecino y mejor amigo de la infancia, Rogelio, tomó el automóvil de su madre para visitar a su hijo de tres años en la casa de su novia que estaba a unos diez minutos de distancia. En su camino de regreso, Rogelio fue detenido por la policía porque había pasado un semáforo en rojo cerca de su casa. Desafortunadamente, no tenía licencia para conducir, por lo que el oficial decidió darle una multa y tambien remolcar el carro. Debido a que todo esto sucedió afuera de la casa de Rogelio, su madre le pidió al hermano mayor y a David que platicaran con el policía para que sólo le diera una multa sin tener que remolcar el carro.

Mientras Rogelio pedía perdón y David servía de mediador, el hermano mayor de Rogelio le suplicaba al oficial de policía explicándole lo caro que sería recuperar la posesión del carro después de ser remolcado y que la familia no tenía estabilidad financiera. El hermano mayor de Rogelio dejó en claro al oficial que su familia no estaba en condiciones de pagar facturas excesivas. A pesar de esta súplica respetuosa y persuasiva, al oficial no le importó e hizo remolcar el carro de

63

todos modos. Esta decisión tomada por el oficial ocasionó una pelea física entre Rogelio y su hermano mayor, también provocó que Rogelio fuera corrido de su hogar. No es necesario decir que el haber presenciado con sus propios ojos todo el incidente fue muy traumático para David.

El incidente mencionado anteriormente le recordó a David que la deshumanización juega un papel importante en la forma en que él y su comunidad están bajo vigilancia policial. En otras palabras, para que el oficial procediera a remolcar el automóvil después de que el hermano mayor de Rogelio le dijo que pondría en peligro las relaciones familiares y pondría a la familia en una situación económica más complicada, es deshumanizante. Habiendo crecido en Oxnard, una ciudad llena de altercados policiales a punto de suceder, es difícil para David imaginar estrategias policiales efectivas y exitosas.

Desde su adolescencia, David era saludado por agentes de policía con "¿Estás en libertad condicional?" o "¿Qué estás tramando?" Estas son algunas frases dadas por sentado a las que sus amigos y él se han acostumbrado cuando interactuando con la policía. Debido a esto, se ha preguntado a sí mismo, ¿cómo puede haber una conversación efectiva después de esos saludos si se supone, de antemano, que el no sirve para nada? Por esto, también se preguntó cómo puede comenzar a sentir respeto por la ley y su funcionamiento, si él mismo no se siente respetado desde el primer momento en que entra en contacto con la policía. A pesar de que David nunca ha estado en libertad condicional, se preguntó a sí mismo si lo está, quizás, porque se lo han preguntado tantas veces.

Después de escuchar algo una y otra vez sobre uno mismo, uno comienza a interiorizarlo. Esto es extremadamente peligroso, especialmente en una ciudad con una reputación negativa como Oxnard. Si lo negativo es todo lo que se habla, es más probable que la gente interiorice esas representaciones y se convierta en algo negativo. Si bien este no es siempre el caso, ciertamente si sucede. Los psicólogos llaman a esto profecía autocumplida, que es un término usado para describir cuando una persona, sin saberlo, hace que una predicción se haga realidad porque él, ella, ellos y todos los que están alrededor de esa persona esperan que se haga realidad. Por ejemplo, si un padre constantemente dice o insinúa que alguien es un cholo y trata a esa persona de manera agresiva, entonces tarde o temprano esa persona interiorizará esa imagen y comenzará a actuar como tal. Hasta cierto punto, esto es precisamente lo que sucede en Oxnard. Las tácticas policiales de las que David ha sido víctima— como suponer que él está en libertad condicional—lo han afectado física y emocionalmente. Su alma ha sido dañada y estas experiencias negativas lo han llevado a ser escéptico de la aplicación de la ley, especialmente en su propia ciudad.

En medio de las tensiones entre la policía y la comunidad en todo el país, una frase que inmediatamente llega a la mente de David es "vigilancia policial orientada a la comunidad". Ha escuchado esta frase como la forma más efectiva de vigilancia no sólo en todo el país, sino también en Oxnard. En el verano de 2016, el *Ventura County Star*, un periódico local, publicó un artículo que afirma que la creciente tasa de delincuencia en Oxnard ha alentado al Departamento de Policía de Oxnard a volver a una estrategia orientada a la comunidad, que históricamente ayudó a reducir el problema. ¿Pero qué significa exactamente esto? ¿Quién define lo qué significa comunidad? ¿De quién son las calles de Oxnard? En pocas palabras, la vigilancia orientada a la comunidad se ha definido como agentes de policía que establecen lazos y trabajan en estrecha colaboración con los miembros de las comunidades para atender mejor sus necesidades y preocupaciones. Para David, además, significa algo más que eso.

David imagina que la policía orientada a la comunidad equivale a una relación llena de verdadero amor y cuidado. Para él, la policía orientada a la comunidad significa que los policías vivan en las comunidades que vigilan. Significa que sus propios hijos vayan a las escuelas de los niños que protegen. Significa que tanto los oficiales de policía como los miembros de la comunidad se conozcan entre ellos por su nombre y no en situaciones de discusiones negativas, sino por motivos genuinamente positivos. Significa que, aunque los agentes de policía no necesariamente tienen que verse como los ciudadanos que cuidan, tendrían que entenderlos. No sólo en un sentido tradicional al pensar en diferentes idiomas, sino también en el sentido de pensar en subculturas. Por ejemplo, los oficiales de policía deben entender que los pantalones caídos no equivalen a ser un "matón" o "cholo". Más bien, necesitan verlo como una preferencia de vestimenta. Significa que los oficiales de policía se toman un tiempo fuera de su horario para jugar con los niños de la comunidad mientras están uniformados para ayudar a fortalecer sus lazos de amistad.

Pero más importante, significa que las primeras palabras de una conversación entre oficiales y ciudadanos no sea: "¿Estás en libertad condicional?" En cambio, sería más apropiado dirigirse a alguien y preguntarle: "Escuché que tu madre perdió su trabajo, ¿cómo está tu familia? ¿Hay algo que pueda hacer para ayudar?" Sin embargo, sin un esfuerzo concentrado en renovar el trato y una promoción genuina de relaciones positivas entre la policía y la comunidad, esta visión permanecerá únicamente en la imaginación de David.

Plomero ayuda, "La tubería gotea"

Mi hermano mayor es plomero. Lleva rato trabajando en ello, lo suficiente como para establecer y sostener con éxito su propio negocio de plomería. Cuando abrió su negocio, me pedía ayuda y yo le echaba una mano cada vez que estaba en la ciudad. Un día, durante el camino hacia nuestro siguiente trabajo, nos detuvimos en *Ferguson*, la tienda de plomería, por un calentón de agua. Ahí, mi hermano se encontró con un buen amigo con el que creció. Después de conversar unos quince minutos, nos regresamos a la camioneta para llegar a tiempo a nuestro siguiente trabajo. Antes de encender el motor, mi hermano me dijo algo que nunca olvidaré, aparte de decirme que ha estado haciendo esto de ser plomero por bastante tiempo y que finalmente está ganando reconocimiento, me dijo: "¿Puedes creerlo, carnal? Muchos de mis amigos de preparatoria también son plomeros, pero ninguno tiene su propio negocio".

Inmediatamente pensé que esto no tendría que ser sorprendente. Aun así, aunque yo ya sabía la respuesta, me pregunté, ¿por qué es así? Que las escuelas de Oxnard no inviertan en la enseñanza de sus estudiantes, no es ninguna coincidencia. De la misma manera que muchos de mis compañeros de preparatoria ahora son barberos, es de esperarse que la mayoría de los amigos de preparatoria de mi hermano sean plomeros. De hecho, en Oxnard, es una excepción en vez de una expectativa el irse directamente a una universidad por cuatro años justo después de la preparatoria. Hasta este día, he escuchado dos frecuentes explicaciones de por qué muchos de nosotros no vamos a una universidad por cuatro años. La primera es que los estudiantes de Oxnard no son lo suficientemente inteligentes para ir a una universidad. La segunda, como a los estudiantes de Oxnard no les importa su educación, están menos motivados a ir a una universidad porque no les parece importante. Estoy en desacuerdo con las dos explicaciones ya que he observado lo contrario.

En el 2012, el Sindicato del Distrito de Escuelas Preparatorias de Oxnard (*OUHSD*) organizó una reunión con ceremonia de corte de listón para su nuevo Centro de Tecnología de Transportación (*Transportation Technology Center*) en la preparatoria de *Channel Islands*. El *OUHSD* invirtió miles, o quizás millones, en un edificio equipado con la tecnología más moderna para darle a los estudiantes más oportunidades para familiarizarse con el mantenimiento de vehículos, servicio y reparación por choque y restauración. También lo relacionado con aviación y servicios de transportación aeroespacial. Por decirlo de otra manera, todas estas palabras elegantes quieren decir que *el OUHSD* invirtió mucho dinero en educar a alumnos para que se hicieran mecánicos de carros. Aunque los directivos escolares afirman que hay otras oportunidades además de trabajar bajo el cofre de un carro, como ser ingeniero mecánico, dudo que esas oportunidades sean realistas. Lo digo porque conozco demasiados mecánicos o personas que trabajan mucho en trabajos pesados y, en contraste, muy pocos ingenieros mecánicos.

Esta inversión en educar a los estudiantes de Oxnard para que sean mecánicos de carros, explica por qué tan poca gente de Oxnard cursa cuatro años de universidad para ser académico. Sin duda, invertir en un taller de carros envía un mensaje directo e indirecto a sus estudiantes de que no van a sobresalir en algo que involucre usar su cerebro. Por el contrario, en un taller de carros se capacita a los estudiantes para el trabajo manual, esto es, trabajar con sus manos y espalda, como siempre parece ser el caso. ¿Qué hubiera pasado si el distrito hubiera invertido en un laboratorio científico de última tecnología o en un sofisticado centro aeroespacial? ¿Cómo influiría esto no sólo en las autopercepciones de habilidad como también en varios proyectos profesionales? En mi opinión, gestos como construir un nuevo laboratorio científico hacen implícita y explícitas las diferencias en la autoestima de los estudiantes. Manda un mensaje a los alumnos que ellos también pueden ser científicos algún día. Este mensaje es muy importante porque no hemos sido acostumbrados a ver gente como nosotros como cirujanos o científicos.

Igual que mi hermano mayor, también soy un plomero. Sin embargo, no soy un plomero común. Aunque ambos disfrutamos encontrar y reparar fugas en tuberías, el lugar donde yo hago mi plomería es muy diferente al de mi hermano. Por ejemplo, como plomero, nunca pasaría un día entero bajo una casa reemplazando tubos viejos por nuevos. En cambio, pasaría innumerables horas en un salón o estudiando tendencias de matriculación para la universidad. Siendo honestos, en la década pasada, los educadores han usado la metáfora de la "tubería de la educación" para explicar los resultados educativos de estudiantes de diferentes procedencias. Los tubos serían las escuelas, incluyendo a todo su personal y profesores, mientras que el suministro de agua son los estudiantes. El flujo del agua es

71

la promoción de grado a grado. Usando la metáfora de la tubería, uno podría ilustrar cómo la poca cantidad de graduados en preparatoria podrían ser vistos como la "fuga" en la tubería de la educación. Por esto, la tubería debe ser reparada o reemplazada para acabar con las fugas.

A través de conversaciones, viajes y experiencias con mi hermano, quien trabaja como plomero, me he familiarizado con la ciencia y lógica detrás de la plomería. Por ejemplo, he notado una enorme e importante diferencia en el diagnóstico entre los tubos bajo una casa y la tubería de la educación. Al diagnosticar un problema en la plomería, el agua en sí es raramente el problema. El agua está ahí y siempre lo estará, así que los plomeros tienen que trabajar con ella. A menudo esto involucra cambiar el tope angular para controlar la presión del agua o reemplazar las tuberías de cobre con tubos PEX (polietileno reticulado), los cuales no se corroen con el tiempo como el cobre a pesar de ser expuestos a agua ácida. De igual manera, se hacen las modificaciones y el agua permanece como es, por lo general. Por otra parte, cuando diagnosticas a la tubería de la educación, el suplemento de agua (en este caso, los estudiantes) usualmente es el primero en ser culpado. Frases comunes como "a estos chicos simplemente no les importa su educación", "estos chicos no son tan inteligentes como estos otros", o "estos chicos no quieren aprender ni hablar inglés" sirven como ejemplos de culpar al suplemento de agua. Este enfoque drásticamente diferente de diagnosticar tubos puede servir como un serio punto focal para las discusiones educativas por venir.

Hasta que aceptemos el hecho de que los humanos han creado y siguen manipulando la actual tubería de la educación para beneficiar un conjunto particular de estudiantes—blancos de clase media a alta—mientras desfavorecen a otros que son pobres, morenos o negros, persistirá la misma difícil situación en la que nos encontramos. En Oxnard, la historia seguirá igual. Los estudiantes serán guiados discretamente a ocupaciones que requieren el uso de sus "espaldas", en vez de sus "cerebros", por así decirlo. Igual de alarmante, estos mismos estudiantes interiorizarán la creencia de que a lo mejor, los trabajos pesados fueron hechos para ellos ya que no les iba bien en la escuela.

Está de más decir; no hay nada malo con ser un plomero, un mecánico o hasta un barbero. Ese no es mi punto. Su trabajo es necesario. Admiro el uso del conocimiento y arduo trabajo de plomeros como mi hermano mayor. Asimismo, estoy consciente de que puede ser una ocupación lucrativa, pues yo mismo he presenciado las increíbles recompensas financieras que vienen con ser un plomero. Más bien, mi punto es preguntar por qué es *mi* gente la que trabaja tres veces más duro para ganar lo mismo que los que trabajan menos. También pregunto, ¿por qué es mi gente quien trabaja con su cuerpo, por lo que se exponen a condiciones de trabajo más duras y posteriormente arriesgando su promedio de vida? Mientras

73

la mayoría continuará culpando al suministro de agua por las fugas en la tubería de la educación, yo pienso en explicaciones alternativas; como un plomero bien informado, razono y trabajo con causas que apuntan a la infraestructura—es decir, a los anticuados tubos oxidados.

Horario de día lluvioso

Como rompehielos durante la primera semana de clases en la universidad, mi profesor nos pidió que habláramos sobre lo que hacemos en nuestro tiempo libre durante los días nevados. Como vengo del sur de California, no podía, necesariamente, identificarme con este escenario. Difícilmente llovía en el sur, mucho menos nevaba. De hecho, donde crecí, nunca nevaba. A pesar de no poder identificarme con la actividad propuesta, esta pregunta me hizo recordar algo que hacía en la secundaria. Por lo general, trataba a los días lluviosos como días nevados. Cada vez que llovía, no iba a la escuela. Afortunadamente, dada la locación geográfica en la que vivía, nunca perdí muchos días de escuela.

Hasta hace poco, no soportaba la lluvia y odiaba mojarme la ropa y zapatos. Sin embargo, si pienso en el pasado, no era la lluvia en sí la que me desmotivaba a ir a la escuela. Era más bien el horario. Cada vez que llovía, era como si todo el horario mi escuela empeorara. Se cancelaba el receso a los estudiantes debido al clima, así que el día estaba destinado a ser desastroso. Contaban con que los preadolescentes se comportarían como adultos. Se esperaba de los estudiantes que permanecieran calmados y actuaran de manera pacífica en espacios que estaban sobrepoblados y sofocados. ¿En serio se puede creer que es posible controlar a un grupo de preadolescentes en un ambiente restringido y encerrado?

Para empeorar las cosas, el personal escolar tendía a vigilar excesivamente a los estudiantes durante esos días. Si te pasabas de la raya, literal y no figurativamente, te metías en problemas. Si hablabas en el pasillo, te metías en problemas. Cada pequeña acción o gesto que típicamente hace un preadolescente, como platicar con amigos sobre lo que está de moda resultaba en problemas.

Recuerdo que en un receso durante un horario de día lluvioso, mis compañeros y yo no podíamos jugar afuera ni quedarnos más de lo debido en la cafetería, así que se nos asignó un salón provisional. En este salón había un extintor. Brillante, rojo, y listo para usar. Sin nada más que hacer y una abundante curiosidad, un grupo de estudiantes, incluyéndome, empezó a jugar con él. A diferencia de mí, los otros estudiantes en mi clase estaban familiarizados en cómo usarlo. Sabían que, para utilizarlo, tenían que remover el pasador de seguridad. No recuerdo quién lo hizo, pero el extintor se activó cerca del final de la clase. Un químico blanco y espumoso se dispersó por todos lados. En cuanto al código de conducta de la escuela, esto era motivo de una suspensión automática, de una llamada a nuestros padres, o al menos de una visita a la oficina del director por el resto del día. Pero como fue al final del periodo de clase, la mayoría de los estudiantes involucrados se dieron a la fuga. Por eso, siempre recordaré esto como el día que me libré de una suspensión.

Una mezcla de exagerada vigilancia y sobrepoblación de estudiantes preadolescentes con muy poco que hacer, es una receta para una suspensión. Debido a esto, las tuberías de escuela-hacia-la-prisión me vienen a la mente cada vez que pienso en un horario de día lluvioso. Cuando digo las tuberías de escuela-hacia-la-prisión, me refiero a que altos grados de suspensiones provocan que los estudiantes falten a la escuela y, por tanto; los mandan a sus casas, en algunos casos, dada la presencia de una pobreza sistemática, se manda a los estudiantes directamente a los problemas, los daños, las drogas o las pandillas, lo que resulta en una mayor probabilidad de que los arresten. Por estas razones, un horario de día lluvioso me atormenta. En días lluviosos, me quedo en casa, adentro, seco y aliviado de la tubería de escuela-hacia-la-prisión.

Talento desperdiciado

¿Por qué a las escuelas les importan más las trenzas
de tu hijo que sus calificaciones? —Nas

Pareciera que de manera constante hay publicaciones de estudios que muestran a los/as/xs estudiantes latinos/as/xs fallando en lo académico. De hecho, algunos académicos le denominan "resbalar a través de las grietas" de la tubería educativa. Ya no me sorprenden estos estudios, especialmente si se toma en cuenta que los/as/xs latinos/as/xs son severamente perjudicados por la segregación y por

79

consecuencia; con malas escuelas. En cuanto a la segregación por sí misma, su estudio dice que muchas veces produce múltiples maneras de aislamiento opresivo, denominado doble o triple segregación, esto es; que en las escuelas a las que asisten latinos/as/xs no solamente se les aísla por su raza sino que también padecen por segregación lingüística y por extrema pobreza. Además, estas escuelas segregadas enfrentan incontables injusticias a las que se puede añadir las siguientes: profesores con menos experiencia y menos preparados; altos índices de rotación de profesores; menos grupos de compañeros exitosos; instalaciones inadecuadas y materiales de aprendizaje; menos apoyos económicos destinados por estudiante; y más altos índices de expulsión escolar.

No es de extrañar que el Departamento Estadounidense de Educación en su Registro de Información, mostrara que mis hermanos/a y yo asistimos a secundarias públicas (SP) en donde los/as/xs latinos/as/xs/estudiantes hispanos formaban no menos del 72% y alcanzaban el 86% del cuerpo del estudiantado en general. También, más de la mitad de los estudiantes en nuestro distrito escolar (59% para ser exactos) fueron elegibles para y/o recibir descuento o almuerzo gratis. El historiador de UCLA (Universidad de California en Los Angeles) nativo de Oxnard, Dr. David García y sus colegas, encontraron en sus investigaciones que estas escuelas híper segregadas a las que mis hermanos/a y yo fuimos, son los restos de una larga historia de racismo en Oxnard, California; que se remonta hasta principios de los 1900, si no es que antes, cuando sólo 'algunos de los más brillantes y mejores niños/as/xs mexicanos/as/xs (podían tener un lugar) dentro de las clases para blancos'.

Debido a estas razones y otras, cada vez que escucho o pienso acerca de estudiantes "resbalando entre las grietas", me viene a la mente mi tercer hermano, "Joe". Originalmente su nombre es Job; sin embargo, en toda su infancia, especialmente en el ambiente escolar y durante el pase de lista, constantemente se le preguntaba por qué sus padres le habían puesto por nombre "Job", como un sustantivo que refiere a "trabajo" en inglés, ignorando de esta manera el profundo significado detrás de su nombre, que claramente tenía un significado en español. Así pues, mi hermano americanizó su nombre a "Joe", con la esperanza de evitar críticas futuras, malas pronunciaciones y humillación, como sucede con mucha gente que tiene nombres que no suenan "americanos". Job, como la mayoría de sus compañeros, era mexicoamericano, pero al contrario de casi todos sus compañeros, su piel era más oscura y a pesar de que hablaba español de manera fluida y no se presentaba como afro-latino, frecuentemente se le confundía con negro.

Job tenía ambición y talento. Tendría quince años cuando se las ingenió para ahorrar lo suficiente y comprarse un Honda Civic 1992, a mediados de los 2000. Su apreciado carro se convirtió en un escenario para exhibir sus habilidades, talentos y creatividad única. Modificó su Civic instalando personalmente varias televisiones (como diez), luces de neón, un estéreo, bocinas y rediseñó el interior, iniciando con esto una moda entre otros dueños de carros. De hecho, se hizo famoso dentro y fuera de la ciudad de Oxnard por modificar carros, especialmente instalando televisiones en el reposacabezas, lo que después fue su distintivo. Todavía más increíble, dado que todo esto fue antes de internet y los teléfonos inteligentes, aprendió cómo hacer todo por sí mismo sólo intentando y equivocándose. En otras palabras, probaba diferentes métodos y después elegía el que le funcionara mejor, lo que puede atribuirse a mucho esfuerzo, práctica y dedicación. Por ejemplo, antes de que trabajara en carros, experimentó con otros aparatos electrónicos como mi motocicleta, la cual modificó instalándole un claxon, alarma y luces de neón.

Teniendo tanta facilidad y pasión por los aparatos electrónicos y los interiores de carros, sin duda Job podría haber sido un gran ingeniero eléctrico o quizás un diseñador de interiores de carro en alguna compañía automotriz importante. A decir verdad, si se le hubiera dado la oportunidad tendríamos ya carros voladores. En un mundo perfecto, la escuela debería haber sido el lugar donde él hubiera pulido otras habilidades adicionales y fortalecidas las que ya tenía, además de las intelectuales. En realidad, lo que necesitaba era solamente un poco más de preparación para respaldar su conocimiento y trabajo, pero de manera fundamental, acercarlo a comenzar una carrera.

En lugar de recibir lo que la investigadora en educación, Angela Valenzuela denomina "solidaridad auténtica", en su escuela; en donde toda la energía es puesta en las necesidades de los estudiantes y la enseñanza se basa en relaciones genuinas, a Job se le señaló y fue castigado por la escuela y profesores. Sus "faltas" incluían llevar puestos tenis Converse (los *Chuck Taylors*) o pantalones flojos, que eran percibidos ambos como mala conducta o relacionados con pandilleros, un perfecto ejemplo que nos habla de la drástica desconexión entre las subculturas de los estudiantes y el personal de las escuelas y sus expectativas establecidas de antemano en el ambiente escolar.

Por otra parte, su corte de cabello rapado a los lados y copete rubio se sumó a las dificultades porque en ese entonces se relacionaba este corte con los pandilleros, a pesar de que él nunca dijo serlo. Se le criminalizó simplemente por su peinado, que sirvió a los profesores y a otros miembros del personal de la escuela como motivo de acoso, porque este peinado tenía connotaciones negativas. Aunque yo sabía que él era talentoso y creativo lo suficientemente para ser exitoso en el campo de la electrónica, restricciones como el no poder llevar el pelo de una manera en particular o que él se expresara a través de la moda en su escuela, solamente comenzaron a despertar algunas de las complicaciones que surgieron en su vida escolar. ¿Por qué Job querría continuar yendo a la escuela si su sola elección de ropa traía impedimentos para su educación?

Job, como muchos/as/xs latinos/as/xs y Estudiantes de Color con potencial para el éxito, no terminó la secundaria. A pesar de su carisma, entusiasmo, inteligencia y gran sentido del humor, nunca se le dio la oportunidad de mostrar sus fortalezas y valores en el salón de clases. Su historia no sólo habla de la pobre educación de los/as/xs latinos/as/xs, sino de la mala educación para los/as/xs latinos/as/xs y otros Estudiantes de Color. Las escuelas, incluyendo al personal, profesores y directores, pierden oportunidades de ayudar a estudiantes como él para que mejoren y crezcan, simplemente porque la juventud no se apega a cada insignificante y no académica restricción, como ponerse ropa de determinada marca o no fajarse la camisa dentro del pantalón.

Debido a que personalmente fui testigo de lo que aquí he contado y así sucedió, nunca me voy a referir a Job como un desertor escolar, ya que es muy claro para mí que a él lo *echaron fuera* de la escuela. Siendo acosado constantemente por los profesores, personal de la escuela y directores teniendo como excusa las reglas de vestimenta establecidas, por lo que vestía o por cómo se peinaba; todo ello explica por qué él y otros latinos/as/xs siguen "resbalando por las grietas" de la tubería de la educación. Asimismo, sin esta contrahistoria la circunstancia de mi hermano mayor y el resultado de su educación podría fácilmente confundirse con que él no valorara la educación o con falta de motivación para triunfar en lo académico. Aun cuando la mayoría de estas historias y aseveraciones se hacen todo el tiempo, muchas veces son falsas y llevan a falsas conclusiones.

Comparto la historia de mi hermano mayor Job, porque crecí poniendo mucha atención a sus inspiradas experiencias tipo rapero Tupac Shakur, sobre sus entradas y salidas de las escuelas. Él fue el segundo, pero ciertamente no el último de mi familia de ser *echado fuera* de la tubería escolar. Debo dejar claro que su caso fue y es muy común. En total, cinco de mis seis hermanos/a no se graduaron de secundaria. Dichos resultados son muy difíciles de superar y de explicar; tomando en cuenta la insistencia de mis padres en alentarnos para permanecer en la escuela y cursarla de la mejor manera. Como seguido hacen los Padres de Color, mis padres se aseguraron de que comprendiéramos la importancia de la educación mediante sus grandes aspiraciones por nuestro éxito escolar.

Pese al constante énfasis de mis padres en la cuestión escolar, sólo mis dos hermanos mayores, quienes a mi parecer eran exitosos académicamente (por ejemplo, se graduaron de secundaria) y como Job también tenían mucho potencial, se las arreglaron para navegar por la tubería escolar en secundaria—y muy apenas lo lograron. Esto explica impedimentos estructurales muy poderosos como la segregación, un currículum cultural irrelevante, fondos de recursos injustos, cero tolerancia y políticas de híper control, profesores sin experiencia, insuficientes clases para avanzados, falta de información universitaria/educacional y así sucesivamente, todo esto superó y venció los continuos esfuerzos de mis padres por brindar educación a sus hijos.

Si tan sólo la escuela de mi hermano Job hubiera creído en él, dándole orientación y guía, tomándose el tiempo de entender su interés en la electrónica e interior de carros, entonces posiblemente, él podría haber sido exitoso como siempre lo imaginé. En lugar de eso, sus profesores lo enviaban a la oficina del director por su ropa, peinado y/o conducta, lo que lo llevó a ser *echado* de la secundaria. Debido a que nuestra sociedad recompensa a aquellos con acreditaciones como certificados de secundaria y preparatoria, estudiantes como mi hermano Job, a quienes en realidad nunca se les ha dado la oportunidad de alcanzar un grado universitario, enfrentan opciones limitadas y trayectorias profesionales. Sin un certificado de secundaria en mano y pocas opciones de empleo para él, a Job se le empujó a los problemas, a ser disparado y ser constantemente acosado por la policía. A pesar de no haber terminado la preparatoria, admiro a mi hermano mayor Job, junto con mis otros hermanos/a, porque sé que él es capaz de hacer lo que sea en la vida, pero sus valores, habilidades e inteligencia no fueron tomadas en cuenta por un sistema de educación que no fue hecho para que él floreciera.

El tesoro

Soy el más chico de siete hermanos, también conocido como el "bebé" de la familia o como dice mi mamá, el tesoro. Como soy el más pequeño de la familia, la mayor parte de las veces conseguí lo que pedía, decir que estaba muy consentido era poco. Mientras que yo disfrutaba que me dieran materialmente todo lo que quería, a pesar de las dificultades económicas de mi familia, no valoré lo que significaba ser el más chico de la familia hasta que crecí y me di cuenta de que la trayectoria de mi vida era drásticamente diferente a la de mis hermanos/a. Mientras que yo fui a la universidad, ellos no. También, hasta que crecí me di cuenta del privilegio que era ser el más pequeño en una familia grande. Siendo el tesoro tuve la oportunidad de observar y aprender de las acciones mis hermanos/a mayores. Rápidamente aprendí qué podía y qué no podía hacer, al observar cuidadosamente la manera en que mis hermanos/a mayores superaban algunas situaciones.

De lo que aprendí más fue de las decisiones sobre educación de mis hermanos/a mayores. Para ser exactos, de las decisiones sobre educación que las escuelas tomaron por ellos y que los prepararon de manera deficiente. Por ejemplo, por una parte aprendí de mi hermano, el segundo más grande, que el simplemente terminar preparatoria no te pone en una mejor posición para continuar con una educación más avanzada. Por otra parte, de mis otros cinco hermanos/a, de los cuales ninguno terminó preparatoria, aprendí que gracias al personal de la escuela, los reglamentos de cero tolerancia y otras iniciativas bien intencionadas o la falta de ellas, pueden provocar que incluso, los estudiantes más inteligentes y brillantes no se gradúen o continúen con su educación. Debido a las situaciones que mis hermanos pasaron y de las que fui testigo, se hizo obvio para mí que el sistema educativo actual, como característica de la sociedad en general, no favorece a las Personas de Color tan bien como pudiera y debiera.

¿Cómo fue que "esquivé la bala" y terminé graduándome? Uso intencionalmente la frase "esquivé la bala" porque encierra la noción de que me evité graves problemas ya que en el barrio que estaba viviendo podían pasar situaciones tan malas como ir a la cárcel, unirse a una pandilla o literalmente ser balaceado. Seguido me hago esa pregunta. Pienso en las similitudes pero también en las diferencias de oportunidades entre mis hermanos/a y yo. Al igual que mis hermanos/a mayores, fui a una preparatoria pública de Oxnard, sin embargo, no a la misma escuela pública que ellos.

En mi opinión, la preparatoria a la que fui era deficiente como la de ellos, en lo que tiene que ver con informar y preparar a todos los estudiantes para ir a la universidad. Esta es una observación que hice con el paso del tiempo; por supuesto, cuando era estudiante pensé que mi escuela era mejor que la de mis hermanos/a mayores. Mi escuela, de la misma manera que lo hizo la escuela de mis hermanos/a mayores, invirtió mucho tiempo y esfuerzo en un grupo en particular de estudiantes "talentosos" (la mayoría de ellos blancos y asiáticos) y se aseguraron de que se comprometieran a ser universitarios. A su vez, esta práctica dejó a los otros estudiantes (la mayoría Estudiantes de Color) en desventaja, casi como si hubieran ido a una escuela totalmente diferente y con muchos menos recursos.

Contrario a lo que mi mamá piensa acerca de mi desempeño en la escuela, no fui el mejor estudiante, pero tampoco el peor. Recuerdo que me confiscaron algunas prendas de vestir debido a que se consideraban inapropiadas, estuve castigado muchas veces e incluso tuve que ir a la escuela en sábado. A pesar de estos contratiempos, tenía una cosa a mi favor. Fui seleccionado para ser parte de un programa de preparación para universidad, diseñado para la primera generación de estudiantes insuficientemente representados. Omito intencionalmente el nombre del programa porque es irrelevante al punto que en general trato de explicar. Esto es, que la escuela tiene que servir y apoyar a la total población estudiantil y no sólo a los que son considerados "talentosos".

También, ¿por qué habría de darle crédito o reconocer un programa que hizo algo que las escuelas tendrían que hacer por obligación? Aunque este programa o sus variantes fueron implementados intencionalmente a nivel nacional, había sólo una preparatoria en Oxnard que lo tenía y resultó que yo iba a esa escuela. Ninguno de mis hermanos/a mayores tuvo acceso a un programa similar en sus escuelas o ni siquiera supo que programas como esos existían.

De repente pude beneficiarme de lo mismo que el grupo de estudiantes "talentosos", a pesar de que nunca se me consideró "talentoso". Pero fui capaz de aumentar estas ventajas debido a mi estatus de estudiante de primera generación. Aunque no atribuyo totalmente a este programa qué tan lejos he llegado en términos de educación, hizo definitivamente una diferencia para mí. Este programa no sólo me enseñó prácticamente todo lo que necesitaba saber acerca de la universidad, incluyendo saber lo necesario para ingresar a la universidad y cómo solicitar ayuda financiera, sino que también me ofreció recursos como vales para exámenes y formatos para dispensas universitarias. En específico, este programa me dio la idea de que la universidad era no solamente posible sino que se podía llegar a ella a través de guía y recursos. Esto era importante ya que a todos mis hermanos/a se les excluyó de la universidad y yo no sabía nada de educación más avanzada ni cómo llegar a obtenerla.

Además de ofrecer información y recursos relacionados con la universidad, este programa hizo algo que di por hecho cada día que estuve en él. Me dio la oportunidad de creer en mí mismo; se me recordaba constantemente que yo era capaz de ser exitoso académicamente, de graduarme de cualquier universidad que yo deseara y de tener una profesión que disfrutar. Tanto si era dibujar un póster de mi escuela "soñada" o que me llevaran a visitar universidades, o dándome información sobre carreras y profesiones o dándome consejos de qué clases tomar para tener mejores posibilidades de ser admitido en la universidad, todas estas acciones me dieron un sentido de pertenencia y valor de mí mismo.

En su artículo de investigación "Nota a los educadores: Se necesita esperanza cuando se desea ver crecer rosas en el concreto", Jeff Duncan-Andrade habla de la importancia de los educadores en promover una esperanza "crítica" en los jóvenes, es decir, que rechacen la desesperanza y las falsas ideas de un "optimismo estadounidense barato". Además Duncan-Andrade argumenta que a los Estudiantes de Color que provienen de escuelas y comunidades en desventaja, se les debe alentar y motivar para que lleven a cabo sus proyectos y que al mismo tiempo estén conscientes y sean críticos en lo que respecta a obstáculos estructurales (como inadecuada información y recursos para asistir a la universidad) y del racismo, el sexismo y el clasismo. Desafortunadamente, las escuelas a las que mis hermanos/a y yo asistimos, atendieron y creyeron sólo a un grupo específico de estudiantes, sin poner atención a otros que no eran considerados capaces para ir a la universidad, pero que necesitaban más de estos apoyos.

De esta manera, muy poca esperanza, no digamos una esperanza "crítica", era puesta en la mayoría de los estudiantes. Como estudiante de primera generación y de bajos ingresos, mi éxito académico en la universidad y continuación de estudios doctorales, está elevando las expectativas de mi familia. Debido a que estoy cursando estos estudios del doctorado, me presentan en las fiestas familiares, en ocasiones, como el "inteligente"; como el que pudo lograrlo. Sin embargo, hasta este día, soy el primero en admitir que nunca fui el más "inteligente" ni el más "trabajador" de la familia. Por eso, es debido a la exclusividad de tener información y recursos para asistir a la universidad que se me dieron oportunidades educativas y experiencias que mis hermanos/a y mucha gente de Oxnard no tuvo. Para mi familia, terminar preparatoria es un logro muy grande, pero quiero hacer más por ellos, por mí y por mi comunidad. Por ser el tesoro, he visto a mucha gente de mi comunidad, incluyendo a mi familia, ser excluidos de la educación. Sus experiencias me dieron ánimos para graduarme y para examinar los factores que negaron el acceso a la educación a mis hermanos/a y los que facilitaron el mío.

¡Dos! ¡Dos!

"¡Dos! ¡Dos! . . .*baby*. . . ¡Dos! ¡Dos!" esta es una frase que siempre recordaré. Durante los juegos y algunas veces en los entrenamientos, mi coach de *flag football* nos gritaba esta frase cada vez que su hijo, el siempre escurridizo corredor (*running back*) de mi equipo se deshacía de un defensa o cuando rápidamente levantaba sus hombros de izquierda a derecha como si estuviera haciendo el baila del"*Harlem Shake*" hasta que se quitaba de repente para hacer fallar al defensa (el baile original del *Harlem Shake*, el que el rapero Lil Bow Wow hacía, no el que la gente practica ahora, eso de brincar de arriba hacia abajo sin nada de ritmo). "¡Dos! ¡Dos!" se convirtió en algo que yo decía todos los días. "¡Dos! ¡Dos!" con voz profunda y ronca como el rapero DMX, como la de mi coach. Ya que su voz era grave y la mía, definitivamente no lo era, tenía que exagerarla. Hice esto cuidadosamente con la esperanza de que no me descubriera mi coach. Él había sido un corredor (*running back)* de la NFL, y estoy hablando de un corredor tradicional, no de un receptor mediocampista, sino un corredor de 260 libras. Él era un montón de músculos caminando, tan voluminoso como era posible. Su sola presencia me intimidaba y no deseaba verle el lado malo.

El corredor de mi equipo era el número 22. Por eso mi coach decía, "¡Dos! ¡Dos!" Por mucho tiempo el número 22 tuvo un lugar especial en mi corazón. Como en todos los deportes organizados que jugué, conservé algunos recuerdos que puedo volver a imaginar una y otra vez, especialmente cuando me siento triste y extraño mi hogar. Sin embargo, últimamente, el número 22 tiene un significado muy diferente en mi vida.

La organización Futuros Líderes de América (Future Leaders of America) recientemente publicó un estudio pidiendo más orientadores culturalmente competentes. En particular, este estudio dio a conocer que sólo el 22% de los/as/xs latinos/as/xs que se gradúan del distrito escolar de preparatorias al que yo asistí en Oxnard, son aptos para asistir a la universidad. Para dar un contexto, el departamento estadounidense del registro de información de la educación en derechos civiles, determinó que los/as/xs estudiantes latinos/as/xs son el 74% de la población estudiantil del distrito de preparatorias. Esta realidad es más alarmante que sorpresiva. Esto simplemente significa que de cada 100 estudiantes latinos/as/xs, sólo 22 pueden asistir a una universidad en California. No significa que necesariamente van a asistir a la universidad, sólo que llenan los requisitos para continuar con su educación. En otras palabras, incluso si un estudiante latinos/as/xs trabajara sin descanso cada día, como asegura la mayoría de los americanos que es lo que conduce al éxito y posiblemente al "Sueño Americano", y que tuviera las mejores calificaciones, graduado de preparatoria, aun así no sería apto para tratar de conseguir un título universitario. ¡Y eso está mal!

Con frecuencia formo parte de conversaciones en las que la gente tiene problemas al pensar en las limitaciones de hablar solamente sobre cuestiones personales (o en otras palabras, determinación individual) sin tomar en cuenta barreras estructurales e impedimentos (como falta de recursos para asistir a la universidad). A decir verdad, me he acostumbrado y cansado de escuchar la frase, "échale ganas y todo se puede". El hecho de que los/as/xs estudiantes latinos/as/xs de mi distrito puedan ser los estudiantes perfectos, esto es, que le echaron ganas, y que cumplen con todos los requisitos para ingresar a la universidad, pero que no tienen acceso a la información necesaria para al menos ser apto para asistir a la universidad, habla directamente de las barreras estructurales que prevalecen.

Una vez presenté estos resultados junto con otras injusticias adicionales a una clase de cientos de estudiantes. En el público, una niña negra levantó su mano e inocentemente hizo la siguiente pregunta, "¿entonces qué pasa al 78% de los estudiantes que no son aptos para ir a la universidad?" A pesar de que tenía suficientes respuestas en mente, intencionalmente permanecí en silencio, sin responder para hacer conscientes a los otros sobre esta básica pero muy importante pregunta. Por estas razones y más, sé que el 22% permanecerá en mi mente.

"¡Dos! ¡Dos!" ¡22!

¿Por qué no me dijiste que yo podía hacer eso?

Entre la segunda y la última semana de clases, antes de la graduación en la preparatoria *Saviers,* en Oxnard, el profesor Blanch cometió un gran error en su salón. Le pidió a 25 de los estudiantes más adelantados en la materia de política y gobierno que hicieran presentaciónes sobre sus planes profesionales a futuro. Esta habría sido una buena idea si la escuela hubiera hecho más por los estudiantes, pero como la mayoría de ellos no había tenido acceso a la información y recursos necesarios para ir a la universidad, muchos de ellos no tenían idea de lo que iban a hacer exactamente después de preparatoria. De hecho, muchos estudiantes en su clase eran hijos/as/x de inmigrantes mexicanos/as/xs y los primeros/as/x en sus familias en graduarse de preparatoria, así que no les era familiar cómo funcionaba el sistema educativo estadounidense.

Debido a esto, las presentaciónes no fueron sorpresivas pero sí preocupantes. Casi todos los estudiantes tenían grandes aspiraciones en proyectos futuros como el querer ser banqueros, abogados o doctores, pero muy pocos tenían un plan específico para llevar a cabo estas metas. Para ser exactos, de los 25 estudiantes de su clase, sólo uno de ellos hizo lo necesario para cursar los cuatro años de universidad. Esta alarmante verdad se hizo muy obvia después de la segunda presentación.

José pasó primero al frente, su presentación fue corta pero no muy agradable. "Tengo más o menos dos planes", dijo de manera tímida a sus compañeros/as/x. Tenía las dos manos dentro de los bolsillos del pantalón, "mi plan número uno es trabajar en el banco local, el que está aquí cerca, a la vuelta de la esquina de la calle quinta hasta que me salgan otras oportunidades. Mi primo más grande me dijo que puedo ir creciendo en el banco hasta llegar a ser supervisor o administrador de una sucursal, y si él lo hizo y no es muy inteligente, yo puedo hacerlo también". José se rió mientras sus compañeros lo observaban callados sin contagiarse de su humor.

"Ok". Intervino el profesor Blanch, "¿cuál es tu plan número dos?"

"Mi segundo plan es simple pero más peligroso". De nuevo se rió sin control. "Quiero meterme al ejército, lo cual no quiero hacer para empezar, pero mi amigo me dijo que tiene muchos beneficios, así que ¡hey!, estoy dispuesto a probar nuevas cosas". La mayoría de sus compañeros asintieron como estando de acuerdo ya que estaban en la misma situación. También ellos querían unirse al ejército por las mismas razones.

Jazmín, quien también estaba considerando unirse al ejército, levantó la mano y agregó: "Estar en el ejército no nada más te da beneficios sino que también es bueno para tu currículum. Bueno, al menos eso es lo que me dijo el profesor Sánchez, nuestro reclutador militar de preparatoria. Le creo todo lo que dice, porque después de todo él podría venderle agua a una compañía de agua con todos los accesorios elegantes que tiene y su vehículo militar *Humvee*".

El silencio en el salón fue acompañado de movimientos de cabeza como diciendo: tienes razón en lo que dices.

"Así que... eso es lo que hay para mí, ¿Verdad, profesor Blanch?" José se disculpó y caminó a su asiento.

"Sí, gracias por compartir, te deseo lo mejor", le contestó el profesor Blanch. "Enrique, tú sigues".

Aquí es cuando todo se descontroló. La vida de Enrique era totalmente diferente a la de sus compañeros. Él ya tenía un compromiso de cursar los cuatro años de universidad. Desde que comenzó su presentación lo hizo dando la lista, con voz alta, de las nueve universidades a las que había solicitado ingresar.

"Bueno, solicité ingreso en nueve escuelas. Dos escuelas fuera del estado, tres universidades de California y a otros cuatro campus de la Universidad del Estado de California. Desafortunadamente sólo fui admitido en seis de las nueve universidades a las que solicité ingresar", dijo Enrique muy quitado de la pena.

Y agregó, "las buenas noticias es que me han ofrecido para mis estudios muchos paquetes de ayuda económica en las seis universidades. De hecho, me ofrecieron prácticamente una beca académica completa en la universidad *Cal State Northridge*, la cual estoy considerando muy seriamente. Después de todo, ¿quién no quisiera educación gratuita?"

"Y sobre mi especialidad ..." Continuó Enrique. Pero antes de que pudiera seguir hablando sobre su especialidad y profesión, Mayra lo calló con un gesto de enojo, "¡espérate! ¿Una universidad?" ¿Sin ir primero al colegio comunitario? ¿Por qué no me dijiste que yo podía hacer eso?"

Enrique se quedó en un silencio incómodo y buscó la mirada del profesor Blanch como pidiendo ayuda. Enrique no respondió porque no estaba seguro de que era su responsabilidad explicar a todos las reglas del juego para ingresar a la universidad. Conocía muy poco a Mayra, no lo suficiente para hablar con ella sobre la universidad o planes de carrera. De todas maneras, el salón de clases permaneció en silencio por otros cinco largos segundos. Todos en la clase, sin contar a Enrique, estaban pensando en lo mismo. El gran silencio en el salón insinuó que nadie había escuchado tal cosa. Graduarse de preparatoria y después ir directamente a la universidad por cuatro años es fuera de lo común. Ciertamente que nadie había escuchado de algo tan raro, especialmente en Oxnard.

Incluso el profesor Blanch estaba en shock. No podía creer que uno de sus estudiantes había sido admitido en varias universidades. Sin poder soportar más ese incómodo silencio, el profesor Blanch cometió su segundo error del día cuando dijo lo siguiente, "levante la mano quien haya solicitado ingreso a la universidad".

Después de tres lentos segundos, Enrique levantó su mano muy despacio sabiendo que él era el único que lo había hecho. Las señales corporales en los estudiantes, como sus brazos cruzados y caras disgustadas, expresaron que los muchachos/as/x estaban furiosos. De nuevo, el profesor Blanch procedió de manera equivocada cuando preguntó, "¿y eso que los demás no hicieron solicitud?"

Inmediatamente Mayra lo interrumpió muy disgustada. Miró directamente a los brillantes ojos azules del profesor Blanch y dijo: "¡Porque nadie nos lo dijo! ¡Ni los profesores, ni los muy ocupados/as/xs consejeros/as/xs,

102

ni la persona encargada del centro de profesiones, ni el director, ni nuestras madres, pero yo no cuento a la mía porque no se educó en los Estados Unidos, y ni usted!" De una manera sarcástica pero seria, Mayra avergonzó al profesor Blanch y la cara se le enrojeció como una fresa, casi como si lo hubieran atrapado mintiéndole descaradamente a su propia hija.

El incómodo silencio siguió hasta que Ricardo le preguntó a Enrique, "¿oye, quién te dijo?"

"Bueno, un compañero de trabajo de mi mamá le dijo sobre un programa universitario para estudiantes latinos/as/xs en una universidad local, así que hice solicitud y fui aceptado. No fue tan fácil. Alguien me dijo que trescientos estudiantes solicitaron pero solamente sesenta fueron aceptados", respondió Enrique, triste.

Y continuó diciendo, "Si no hubiera sido por este programa fuera de la preparatoria, habría estado perdido, lo juro. En ese programa aprendí que hay una fórmula para poder ingresar a universidad. También me dieron los ingredientes de la fórmula para llegar a universidad. He notado que aquí, en esta preparatoria, raramente hablamos acerca de la fórmula para ir a universidad, y como escuela en general, apenas tenemos algunos de los ingredientes para poder llegar a ser universitarios".

"¿A qué te refieres cuando hablas de la fórmula y los ingredientes?" Le preguntó Ricardo con voz alta mientras que la clase se preguntaba lo mismo.

"Por fórmula, simplemente quiero decir los requisitos para la universidad. Por ejemplo, las universidades te piden que hagas la evaluación académica del examen SAT", dijo de manera elocuente Enrique.

"¿El quéeee?" bromeó Laura, ya que no había escuchado nunca ese acrónimo.

"Se me olvidó lo que significan las siglas, pero básicamente es un examen que necesitas hacer antes de solicitar ingreso a la universidad. Supuestamente le da a las universidades una idea de qué tan 'inteligente' eres y qué tan bien te desempeñarás en la universidad", dijo Enrique haciendo señas con los dedos cuando dijo 'inteligente'.

"En California, las materias requeridas denominadas 'A-G' también son importantes. Son las materias que tienes que tomar para calificar y estar 'preparado' para las universidades del estado California o las universidades de California. Tú sabes, cuatro años de inglés, tres años de matemáticas, etcétera", enlistó Enrique.

Sus compañeros no sabían de estos detalles. De hecho, se le quedaron viendo llenos de confusión como si él estuviera hablando en un idioma diferente.

Enrique continuó, "de todas maneras, esos son sólo unos de los cuantos requisitos necesarios para ingresar a la universidad. A lo que me refiero cuando digo ingredientes es que algunas escuelas te la ponen más fácil para cumplir con esos requisitos. Como por ejemplo los cursos de Ubicación Avanzada (UA), entre más clases de UA tenga tu escuela es mejor. Bueno, y eso es si tienes oportunidad de poder entrar a ellas. Tu promedio GPA se incrementa si tomas clases de UA y si pasas el examen, automáticamente obtienes créditos para la universidad. De esta manera la gente se ahorra tiempo o puede cursar varias especialidades". Enrique hizo una pausa cautelosa ya que observó a sus compañeros/as/x que estaban en silencio mostrando confusión y enojo.

"Pero es la misma gente en esas clases de UA, en mis cuatro años nunca tomé una clase de UA ni nadie me animó a tomarlas", dijo Joanna quejándose en voz alta.

"Exactamente, pienso que solamente tenemos ocho cursos de UA en total, y es verdad, están dirigidos a los mismos estudiantes. Soy uno de ellos, pero sé que algunas escuelas tienen más de 20 cursos de UA, así que muchos estudiantes los pueden tomar, por eso dije que nuestra escuela muy raramente habla de la fórmula y casi no tiene los ingredientes para cumplir con ellos", contestó Enrique, agregando al comentario enfático de Joanna.

"Todo este tiempo pensé que no iré a la universidad porque no soy lo suficientemente inteligente o porque no estoy trabajando lo necesario para llegar ahí, ¡pero muy poco sabía que no se me había dado esta fórmula secreta o los ingredientes! Ahora tengo que ir a el colegio comunitario y ¿quién sabe si pueda graduarme de ella?" Agregó de manera triste Mayra mientras se chupaba los labios y dibujaba en sus notas una sandía inspirada en las de Frida Kahlo con una letras grabadas que dicen: 'Vivan los de Oxnard'.

Muchos de sus compañeros/as/x asintieron con la cabeza con lo que ella dijo, porque pensaban lo mismo sobre sus aspiraciones universitarias.

El profesor Blanch se quedó callado y avergonzado, de una manera inocente él no se había dado cuenta de estas injusticias. También se enojó con él mismo por formar parte de ellas, como Mayra y la mayoría de sus compañeros, el profesor Blanch pensó que sus estudiantes no fueron a la universidad porque no eran lo suficientemente buenos estudiantes, que pocos de ellos tenían algún talento, o eso era lo que él pensó. Después de todo, ellos son de Oxnard, ¿qué tanto talento podrían tener? se preguntó. Pero después de haber sido instruidos por Enrique, él reconsideró lo que pensaba. A lo mejor, se dijo, la verdadera razón por la que sus estudiantes no van a la universidad es por la falta de la fórmula y los ingredientes, y la falta de ellos les convence a los estudiantes de Oxnard que ellos no están hechos para ir a la universidad.

Debido a toda esta conmoción, confusión, enojo e importante información, la clase de cincuenta minutos voló sin que nadie se diera cuenta. Y como siempre parece ser el caso al profesor Blanch lo salvó la campana, literalmente. Inmediatamente después de que sonó la campana, los estudiantes salieron del salón despacio mientras seguían hacia fuera, mirándolo, enojados y moviendo sus cabezas en desaprobación.

Exámenes sumamente desconsiderados

Les quedan cuarenta y cinco minutos para terminar el examen

Cuarenta y cinco minutos hasta que el examen se acabe
Cuarenta y cinco minutos para determinar si alguien es
inteligente o tonto

Cuarenta y cinco minutos para que este examen evalúe si un profesor es eficiente
Cuarenta y cinco minutos para que otro estudiante sea considerado deficiente académicamente

Les quedan treinta minutos para terminar el examen

Treinta minutos para no dejar avanzar a aquellos que no son tan hábiles y privilegiados
Treinta minutos para confirmar que este examen no fue diseñado teniendo en mente a estudiantes desfavorecidos

Les quedan veinte minutos para terminar el examen

Veinte minutos para recordar apuntes y clases con el fin de aprobar
Veinte minutos restantes a este examen que miden la exposición a los valores y experiencias de los blancos de clase media

Veinte minutos para averiguar qué significa e implica la palabra *candelabro*
Veinte minutos para que alguien que nunca ha sido expuesto a una lámpara lujosa, quede derrotado

Les quedan diez minutos para terminar el examen

Diez minutos para que las verdaderas habilidades y
capacidades de alguien no se muestren
Diez minutos para que sea rechazado alguien que cuenta
con otros puntos fuertes y habilidades

Diez minutos que no calificarán tenacidad o resistencia
Diez minutos que miden el éxito con muy poca validez

Les quedan cinco minutos para terminar el examen

Cinco minutos de este examen que consiste de lo que
parece ser información irrelevante
Cinco minutos hasta que los resultados de este examen
impulsen a la enajenación

Cinco minutos restantes para culpar a un estudiante por no
aprender en clase
Cinco minutos quedan de un examen que ignora totalmente
que algunos estudiantes son de clase trabajadora

Les quedan tres minutos para terminar el examen

Tres minutos y, sin embargo, hay personas que afirman que
este examen es una herramienta justa e imparcial
Tres minutos hasta que alguien se quede sin la suerte de
entrar a su escuela ideal

Exámenes sumamente desconsiderados

Les queda un minuto para terminar el examen

Un minuto queda para suponer y esperar lo mejor
Un minuto para que este examen determine el futuro de
alguien

El examen ha terminado. Dejen de escribir por favor.

¿Dónde está Michele Serros?

No sabía que las personas parecidas a mí, mucho menos de Oxnard, podían escribir libros o crear poesía nacionalmente reconocida. Pero, nuevamente, soy víctima de lo que los educadores llaman un plan de estudios culturalmente irrelevante. Esto quiere decir que la mayoría de lo que leía en las escuelas a las que fui no tenían que ver con mis experiencias de vida, ni los profesores me enseñaron de manera atractiva. En otras palabras, fui despojado de algo importante. En muy poco de lo que leí y vi en escuelas, alguien se parecía a mí, hablaba como yo, o pensaba como yo. Difícilmente el plan de estudios se enfocaba en mi identidad cultural o en mis experiencias cotidianas.

2,500 millas lejos de mi casa, en una universidad predominantemente estudiantes blancos al norte de Nueva York, me encontré con el trabajo de Michele Serros. Siendo sincero, era el último lugar en el que imaginaría haberla conocido. He estado en la escuela por más de 18 años y jamás había leído ni visto su trabajo, mucho menos escuchado de ella. Escuché por primera vez su cómico y a la vez serio poema "*Attention Shoppers*" ("Atención compradores") en el segundo año de mi posgrado. Era muy tarde como para topármela o mandarle un email, pues había fallecido el año anterior. Sin embargo, me leyó el poema, bueno, virtualmente hablando. Mi profesor, un mexicano-americano de Riverside, California, nos puso su poema desde su CD, *Chicana Falsa*, y así escuché su voz. Lo tocó al principio de la clase para presentarnos diferentes maneras de pensar y escribir, y punto. Serros lo inspiró a pensar críticamente sobre injusticias sociales a través de la poesía y narrativa cuando estaba cursando el posgrado, así que él quiso hacer lo mismo por nosotros.

Después de la clase, investigué a la escritora para encontrar más información sobre ella, ya que me había gustado su poema. Para mi sorpresa, nació y se crió en

Oxnard, específicamente, en El Rio. No lo podía creer. ¡No había manera de que hubiera nacido en El Rio! ¡No te enseñan a leer o escribir en El Rio, o en cualquier lugar de Oxnard, en todo caso! ¡El Rio no tiene ni banquetas de cemento! El Rio es pura tierra, ¡hasta se te ensucian los zapatos! Esa era una de las razones por las que no visitaba a mi tío que vive ahí. No podía ser cierto. ¡Pero lo era! Serros era latina, aún mejor, chicana, aunque escribió sobre cómo se le consideraba una chicana falsa. También fue una estudiante universitaria de primera generación. No obstante, era una mexicana de Oxnard y lo había logrado. Cuando todavía era una estudiante del colegio comunitario, su primer libro de poesía y cuentos cortos, *Chicana Falsa and other stories of Death, Identity and Oxnard* (Chicana falsa y otras historias de muerte identidad y Oxnard), fue publicado en 1994. Igual de impresionante era que Serros fue elegida como una de los doce poetas que participarían con *Lollapalooza*, un reconocido festival de música con bandas de rock alternativo popular, heavy metal, punk rock, hip hop, y bandas de música electrónica, artistas, presentaciones de danza y comedia y puestos de artesanías. No sabía que los poetas estaban invitados a este festival. Pero ahí estaba ella, alguien de Oxnard rompiendo barreras.

Al haber crecido en Oxnard, todos los logros y triunfos de Serros me hicieron sentir orgulloso de ser de una ciudad a la que a menudo se le asocia negativamente, sobre todo con pandillas y violencia. Tan pronto como me enteré que era de Oxnard, les mandé a algunos de mis amigos/as/x sus poemas y les dije que la investigaran. La radio nacional pública (*NPR*) hizo un programa especial sobre ella después de su muerte, envié el enlace a todos mis conocidos por mensaje de texto. Descargué su CD, hice copias, y lo subí a *Google Drive* para compartir su trabajo de esa manera también. Hasta envié su trabajo a mis amigos que no eran de Oxnard para hacerles saber que así hacemos las cosas de dónde vengo. No es de extrañar que la mayoría de su trabajo resonó en mí de una forma u otra. Tiene un poema en donde habla sobre cómo su papá relacionaba un estacionamiento "bueno" con un estacionamiento "gratis". También mi familia se presentaba temprano a un evento para encontrar "buen" estacionamiento. Tan sólo escuchar su voz me recordaba a mi ciudad. Aunque sólo la he conocido por poco menos de tres años, es una inspiración para mí. Me reí de todas sus historias graciosas y creativas, no se parecían a nada de lo que había escuchado, visto o leído antes.

Aunque estaba más que encantado de haberme encontrado con el trabajo de Serros, me decepcionó que hubiera llegado tan tarde a mi educación. Si hubiera sabido de su trabajo en mi niñez o quizá hasta en la preparatoria, la idea de escribir un libro o ir a la universidad y hacer un impacto en la vida de otros, no me hubiera parecido un proyecto inalcanzable. En cambio, algunas de las lecturas que recuerdo de clase no se acercaban ni remotamente a mis propias experiencias. Por ejemplo, leímos *Macbeth*, que trataba de un soldado escocés que está predestinado a ser rey, o *El señor de las moscas*, una historia sobre un grupo de niños británicos atrapados en una isla deshabitada que intentan gobernar por sí mismos, pero con resultados desastrosos. ¿Es neta? ¿Qué tiene que ver con mi vida un soldado escocés? ¿Dónde estaba el trabajo de Michele Serros en ese tiempo?

En retrospectiva, pienso en cómo es que podría identificarme con un material tan ajeno e irrelevante no sólo con lo que pasaba en ese momento de mi vida, pero también con lo que había observado y vivido al crecer. Es claro por qué mi preparatoria tiene un porcentaje tan horrible de estudiantes que van a la universidad. El plan de estudio es culturalmente irrelevante e indiferente a nuestros intereses y necesidades. ¿Por qué querríamos continuar con nuestra educación universitaria si no tenemos una relación significativa y positiva con la escuela?

En el curso universitario que imparto para futuros educadores, frecuentemente hablo sobre la importancia de adaptar un plan de estudio a las vidas y experiencias de los estudiantes a los que enseñan. Claro, es más fácil decirlo que hacerlo. Sin embargo, sí se ha llevado a la práctica exitosamente. Les comparto a mis estudiantes los ejemplos exitosos y les recuerdo constantemente lo posible que puede ser. Por ejemplo, vimos *Precious Knowledge* (Conocimiento precioso), un documental centrado en la prohibición del Programa de Estudios México-Americanos en el Distrito Escolar Unificado de Tucson de Arizona. Esta película documenta e ilustra qué tan influyente, poderoso y efectivo era el Programa de Estudios México-Americanos. El documental también destaca cómo el propio programa de estudio, si bien culturalmente consciente, involucra a los estudiantes de maneras en las que nunca habían sido envueltos y los reta a aspirar no sólo a graduarse de la preparatoria, sino también a que busquen una educación superior y cuestionen críticamente su condición social.

Otro ejemplo que comparto tiene que ver con Jonathan Kozol. Él era un hombre blanco ya mayor, y fue despedido por enseñar un poema de Langston Hughes en una escuela en la que predominan los negros. Se le había asignado un grupo de cuarto grado considerado "malo", del cual algunos apenas podían leer o escribir. Kozol quería que se mantuviesen entretenidos, así que les leía poemas que se relacionaran con sus vidas. Leyó "The Ballad of the Landlord" ("La balada del arrendador") de Hughes, que hablaba sobre malas condiciones de vida y de pagar la renta. Enseñando a través de Langston Hughes, Kozol intentó que les interesara leer, pues le era claro que no les atraían los libros de texto que les asignaba la escuela. Comparto el ejemplo de Kozol porque tuvo el valor y visión de desviarse del plan de estudio asignado, por uno más llamativo para los estudiantes que parecían estar desinteresados con el material.

Cada vez que visito Oxnard para hablar de educación superior, inmediatamente algunos estudiantes me dicen que no irán a la universidad porque la escuela no es para ellos.

Sus experiencias negativas con la escuela se han interpuesto en el camino de su educación. Creo firmemente que tener un programa de estudio que refleje el entorno e intereses de los estudiantes crea una relación drásticamente diferente con el aprendizaje y la educación. Si los alumnos sienten que lo que aprenden en la escuela resuena con sus realidades, tendrían más ganas de ir a la escuela todos los días.

Desafortunadamente, este no es el caso. Y después nos preguntamos por qué los estudiantes con identidades marginadas no les gusta ir a la escuela. Rara vez leen o ven algo que los represente, y casi nunca se les proporciona algo que cultive una mejor percepción de su posición social e identidad cultural. En muchos casos, los propios maestros no reflejan nada de los estudiantes a los que les enseñan ni pueden identificarse con ellos en un nivel personal.

La ausencia de un plan de estudio culturalmente relevante sugiere que las experiencias y realidades de los estudiantes no son importantes ni necesitan estímulo. Presentar autores como Serros u otros que se parezcan a los estudiantes de Oxnard, podría inspirarlos a tener una relación transformadora con la escuela y la educación. Es decir, una relación que los invite a continuar con la escuela más allá de la preparatoria. Sobre todo, una experiencia que cambie la idea de que la escuela no es para ellos.

117

Siguiendo adelante

Una noche de otoño, la ciudad de Oxnard fue la sede de una reunión en un salón del palacio municipal para promover el involucramiento de los padres en la educación. Debido a que esta reunión comenzaba muy tarde en la noche, dio oportunidad a los padres de salir del trabajo y llegar, así que muchos de los residentes de Oxnard asistieron. El grupo incluyó a madres preocupadas, padres impacientes, tías y tíos chismosas/os, abuelos/as que apenas podían caminar y bebés, además de estudiantes de todos los grados incluyendo a estudiantes universitarios y egresados, maestros, administradores y más, incluso algunos perritos de las familias acudieron a esta reunión.

Muchos de los que acudieron hablaban español solamente, pero afortunadamente la profesora Solis se ofreció como voluntario para servir de traductora. Muchos de los que asistieron saben de antemano que las escuelas de Oxnard han tenido, históricamente, malos resultados académicos. El personal de las escuelas insiste en que las razones de esto se deben a que los padres no se involucran o preocupan por la educación de sus hijos/as/xs tanto como debieran.

En esta reunión saturada de gente, se hizo obvio que a los padres mexicanos pobres no se les permite valorar la educación de sus hijos. Esto se debe principalmente a que existe una idea establecida respecto a los que es valorar la educación. Esta idea establecida excluye y no toma en cuenta las acciones de muchos padres mexicanos pobres en la vida diaria. Estos padres tuvieron y continuarán teniendo muchas aspiraciones y sueños en mente para sus hijos, sin embargo, no están seguros si sus hijos los cumplirán. Por cierto, ellos se preocuparon pero debido a las barreras del lenguaje, estas preocupaciones fueron ignoradas o completamente no tomadas en cuenta. De hecho, fueron constantemente confundidas con poca preocupación por la educación de sus hijos/as/xs.

Un poco después de las ocho de la noche, la superintendente del distrito escolar, Monica Rodriguez, calló a la gente pidiendo que hicieran la dinámica de aplaudir si podían escucharla. Tan pronto como la gente guardó silencio ella dio por iniciada la sesión en salón del palacio municipal.

"Hola a todos, gracias por venir a esta importante reunión sobre la educación de sus hijos/as/xs", dijo la profesora Rodriguez dando la bienvenida a la gente.

La profesora Rodriguez empezó a compartir con ellos cómo los padres de Scott se involucran en su educación, situación a la que según ella, todos deben aspirar. La familia de Scott vivía en *Victoria Estates*, una comunidad privada para ricos en Oxnard. Su familia tiene mucho dinero, sus padres y sus tres hermanos mayores son universitarios. Su papá era blanco y su mamá mexicana de tercera generación. Pasara lo que pasara, Scott siempre estaba en el cuadro de honor de la escuela cada semestre, lo que mostraba que sus padres debían de estar haciendo bien las cosas.

Ella continuó con tono sombrío, "recibimos recientemente el último informe de las evaluaciones de nuestros estudiantes". Desafortunadamente seguimos teniendo muy bajas calificaciones. Nosotros, como personal de la escuela hacemos nuestro trabajo; sin embargo a pesar de nuestro gran esfuerzo, no podemos hacerlo todo. Les pedimos que como padres también contribuyan con su parte. Por ejemplo, todos necesitamos aspirar a ser como los padres de Scott. A Scott se le asignó una tarea en la prisión de Alcatraz, la cual se localiza en el área de la bahía al norte de California. Sus padres, Mayra y Kurt, manejaron seis horas y media para asegurarse que su hijo pudiera ver y obtener información detallada de la prisión, que ahora es un museo". Les dijo esto la profesora Rodriguez, mientras sonreía de manera inocente a los asistentes.

"No hace falta decir que Scott obtuvo una calificación de A+. De hecho, se le nominó incluso para un premio por este proyecto por el cual obtuvo una tarjeta de regalo por cincuenta dólares del centro comercial local". La profesora Solis tradujo el mensaje y algunas personas del público aplaudieron de mala gana y con una mueca burlona en sus rostros.

Se hizo obvio que después de que se hicieron estos comentarios, los padres comenzaron a interiorizar esta creencia de que ellos no valoraban la educación de sus hijos/as/xs de la misma manera que otros padres, como los de Scott, porque no se involucraban de la misma manera. Muchos rostros del público se enrojecieron de vergüenza y sus cuerpos se aflojaron como si se les hubiera caído su paleta de mango con chile.

Hablando de la cuestión de recursos, era imposible para estos/as/xs mexicanos/as/xs pobres el ofrecer tanto como los padres de Scott. Muchos de ellos apenas podían pagar la renta y cuentas. Analizando esto con la misma lógica equivocada, ¿cómo podrían ellos como padres empezar a valorar la educación de sus hijos contando con tan pocos recursos para apoyarlos? Este pensamiento les pasó por la mente. Algunos, pero no todos, estaban de acuerdo con la idea de que valorar la educación está altamente ligada, si no es que solamente relacionada, con lo material. En otras palabras, había más de un puño de gente entre los asistentes que vieron que valorar la educación era ofrecer servicios de tutoría a sus hijos quienes necesitaban de servicios educativos adicionales.

De igual manera que el superintendente de la escuela, se hallaron comparándose, si es que no compitiendo con compañeros y por el apoyo escolar de amigos como lo hacen los padres de Scott. Esta comparación nunca tomó en cuenta las drásticas diferencias en el ingreso familiar, incluso cuando eso es un factor muy relevante. También, esta comparación esconde el hecho de que muchos padres no fueron educados de manera formal en sus países, mucho menos en los Estados Unidos. Por lo tanto, no estaban familiarizados con la manera en como este sistema educativo funciona. Para ser exactos, ellos creían profundamente en la idea de que cuando se trata de educación, hay igualdad de condiciones.

Un largo y vergonzoso minuto transcurrió después de que la profesora Rodriguez hablara de los padres de Scott. Se podrían haber escuchado sonidos de grillos si no fuera porque el llanto de unos bebés se escuchó en el acalorado y lleno auditorio.

Micaela, recientemente graduada de universidad y aceptada para cursar un posgrado, alzó lentamente su mano y dijo, "con todo el debido respeto profesora Rodriguez pero usted no puede esperar de nuestros padres tengan el mismo compromiso en lo educativo que los padres de Scott, no sólo mis padres no tienen el privilegio de tomarse días libres para llevarme en cualquier momento al museo, ni tampoco tienen un carro en buenas condiciones. ¡No manches! Apenas podríamos llegar a la tienda", la gente comenzó a reírse debido al sarcasmo de la muchacha.

"Eso es cierto mija", gritó su tío Antonio, haciendo eco con sus manos sobre su boca, como un megáfono.

El doctor Emmanuel Lopez, quien creció en Oxnard y es ahora profesor en una universidad cercana, agregó, "Micaela tiene un buen punto en lo que dijo. Nosotros como sociedad estamos extremadamente impresionados con las ideas dominantes de lo que significa valorar la educación. Por ejemplo, se espera de los padres que automáticamente apoyen a sus hijos con sus tareas. Sin embargo, se asume que todos los padres tienen una educación similar, lo que no siempre es el caso. Estas comparaciones no son justas y hacen más mal que bien".

Recuperó el aliento y repitió lo que acababa de decir en español, para que la profesora Solis pudiera tomarse un descanso, miró a la gente quien pacientemente lo observaba y continuó, "De hecho, para el seminario que enseño en la escuela de posgrado, el primer libro que asigno para leer es La educación de los negros en el sur, 1860-1935 del historiador James Anderson. En este libro, Anderson anota varios sucesos convincentes que desafían la narrativa de que la principal razón por la que los negros no son exitosos en lo académico es porque no valoran la educación ni nunca lo han hecho. Anderson sugiere lo contrario a que los negros intercambiaban ganado a cambio de materiales para construir escuelas. Incluso ofrecieron voluntariamente su propio tiempo en trabajo manual pesado, como cargando troncos enormes para edificar las escuelas. Estas son acciones no tradicionales de valorar la educación. ¿Me entienden todos?"

Las personas en el público asintieron con la cabeza y llenaron el auditorio de gritos y aplausos.

Emilio, un estudiante del primer año de una preparatoria local, intervino tímidamente, "sí, eso tiene sentido. Mi mamá trata de ayudarme de todas las maneras posibles. Un día me asignaron una memorable y enfadosa tarea por ser el payaso de la clase. No era una tarea común y no tenía sentido. Algo así como Bart Simpson cuando comienzan los créditos de la serie de Los Simpson. Se me pidió escribir una frase que dijera lo que había hecho mal en clases por una gran cantidad de veces. Le expliqué esta situación a mi mamá y ella estuvo de acuerdo que era una tarea sin sentido, pero estuvo de acuerdo que era importante para mí hacerla y entregarla antes de que me aumentaran el castigo. Debido a la barrera del lenguaje y el nivel escolar de mi mamá, casi nunca le pedí ayuda en lo académico. Para no hacer la historia larga, mi mamá insistió en ayudarme. A pesar de su poca educación, mi mamá me apoyó de todas las maneras que pudo, esta tarea fue sólo una de ellas. Para mí, mi mamá estaba consciente de la importancia de terminar y entregar cualquier tarea, sin importar de lo ridículo que fuera, a tiempo, para así evitar cualquier castigo y por eso me ayudó". Una ronda de aplausos siguió al testimonio de Emilio, el público reconoció su valor al compartir esta anécdota.

Angelica, la mamá de Emilio quien estaba sentada muy orgullosa a su lado agregó en español, "Sí, muy cierto mijo. Recuerdo ese día. Incluso convencimos a Pedro, el amigo de tu hermano para que nos ayudara. Mientras yo trabajaba en una página, tú y Pedro trabajaban en otras. Juntos nos las arreglamos para terminar la tarea antes de que terminara la noche. Muy tarde esa noche, eso sí, pero la completamos. Tres diferentes tipos de escritura pero estaba terminada. Para el punto de Emilio, Pedro, quien nos ayudó y que no terminó preparatoria, fue frecuentemente etiquetado como miembro de pandilla. Estoy segura que él nos ayudó porque entendió también la importancia de hacer tareas para que Emilio tuviera oportunidades educativas que él no tuvo".

En este punto de la reunión los miembros de la audiencia empezaron a platicar entre ellos sobre varias veces en las que ellos también han valorado de otras maneras la educación de sus hijos, pero nadie se ofreció para decirlo en voz alta.

Tan pronto como la gente guardó silencio, José, un estudiante de los últimos semestres de preparatoria, compartió su experiencia, "¡mis padres valoran mi educación también!" Exclamó. "Por supuesto, era un poco diferente porque somos pobres. Cuando no sacaba buenas calificaciones no me dieron un tutor, en su lugar me dieron una chinga".

La gente se rió de manera incontrolable por el chiste.

"¡La chancla ayuda a las calificaciones también!" gritó a todo pulmón una abuelita que estaba sentada en la primera fila.

José sonrió, "En mi opinión, mis padres demostraron que les importaba que me fuera bien en la escuela; sin embargo, como no podíamos darnos el lujo de pagar un tutor, ellos se las arreglaban para asegurarse de que yo entendiera la importancia de una educación. Hasta podría asegurar que incluso si mis padres hubieran podido pagar a un tutor, no lo hubieran contratado. No porque no se preocuparan por mi educación sino porque dan por hecho que la escuela asigna a los tutores que se necesitan".

"¡Como debe ser!" gritó con toda la fuerza de sus pulmones desde el fondo la señora Jimenez, una activista local y madre.

"Mis padres sacrificaron mucho por mi educación también", afirmó Esmeralda. "Como muchos de nosotros aquí, mis padres no tienen mucho dinero o recursos. Aun así, estoy terminando mi tercer año en la universidad".

Chiflidos y gritos se oyeron de la gente como si ella se hubiera graduado apenas de la secundaria otra vez.

"A pesar de las marcadas diferencias en los ingresos familiares de nuestro hogar y del de mis compañeros, mis padres hicieron cosas que contribuyeron enormemente a mi educación. Cada vez que iba a casa mis padres me preguntaban cómo me iba económicamente. Debido a sus limitaciones financieras, ellos no podían apoyarme económicamente y estoy de acuerdo con eso. A pesar de que fui la primera en asistir a la universidad, era obvio que mi familia entendió la idea de un estudiante universitario en apuros. Cada vez que ellos necesitaban dinero, yo era la última persona a la que recurrían. Se sentían culpables de pedirme dinero porque no me daban para ayudar en mis estudios. Mis padres decían: 'Esa niña está para que le demos, no para que le quitemos'. Para mí esto significa que ya es bastante malo que no tengamos que ofrecerle, entonces porqué habríamos de quitarle lo que tiene. Al no pedirme dinero cuando lo necesitaban me decían que deseaban que continuara con mis estudios sin ningún contratiempo".

Inmediatamente después de su testimonio, se le corrieron unas lágrimas de tristeza y orgullo por las mejillas.

"Tengo una historia parecida", afirmó Alfredo mientras abrazaba a su mamá.

"En la preparatoria mi mamá hizo un generoso trato conmigo respecto a su único carro. A pesar de que sólo tenía un carro me dijo que me dejaría manejarlo cada martes y jueves si le prometía que haría las dos cosas siguientes: la primera, que asistiría a la escuela sin regresarme temprano, la segunda, no solamente ir, sino hacerlo de la mejor manera. Como era considerado chido manejar a la preparatoria, tomé la oferta de mi mamá muy seriamente y me aseguré de cumplir con todo con tal de ir manejando a la escuela. Como consecuencia, esto significó que cada martes y jueves mi mamá tenía que batallar para llegar a donde necesitara ir en esos dos días. Con todo eso, aun cuando mi mamá sabía que su carro estaría estacionado en el estacionamiento de la escuela prácticamente todo el día, sin usarse, ella realmente quería que me fuera bien en la escuela, por eso valía la pena su esfuerzo. En mi opinión, como mi mamá no podía sobornarme con dinero para que hiciera lo mejor en la escuela como hacen otros pares, usó los pocos recursos que tenía, su único carro, para incentivar mi educación".

Alfredo continuó, "De igual manera, incluso habiendo una parada de camión justo a la vuelta de la esquina, mi mamá comprendió que me avergonzaba tomarlo y nunca dudó en llevarme a la escuela cuando se lo pedía en los días que yo no manejaba. Como muchos de nosotros, presté poca atención a las sutiles pero importantes maneras en las que mi mamá apoyaba mi educación. Pequeñas acciones como dejarme llevar el carro a la escuela o darme un raite en lugar de obligarme a tomar el camión subrayan las maneras en las que mi mamá no sólo contribuyó, sino que invirtió en mi educación.

"Como madre puedo dar testimonio de estos sacrificios", dijo la señora Villanueva, una madre de tres, con tono firme mientras apuntaba directamente al superintendente escolar".

"Debido a que vivo cerca de una de las 'mejores' escuelas en Oxnard, la cual por cierto, ofrece clases bilingües, me hacen la siguiente pregunta muy frecuente mis amigos, parientes e incluso extraños, "¡Oye! ¿Me prestas tu dirección de correo?" Al principio siempre me preguntaba por qué algunos padres y algunas veces mis propios parientes pedían a alguien si podían usar la dirección de correo de alguien para propósitos escolares. Hoy esta situación es muy clara para mí. Como las escuelas solicitan a los padres que inscriban a sus hijos de acuerdo al área en la que viven, los padres tratan de encontrar la manera de evitar enviar a sus hijos a escuelas que ellos perciben como no tan buenas como otras".

"¡Y sí! ¡Así es la cosa!" gritó otra madre desde el fondo del auditorio.

La señora Villanueva continuó, "y habiendo dicho eso, creo firmemente que esos padres sabían que usar la dirección de correo de otra persona era sólo parte de la ecuación. La otra parte tuvo que ver con llevar a sus hijos a la escuela. Cuando estos/as/xs mexicanos/as/xs me pidieron usar mi dirección de correo, no sólo buscaban inscribir a sus hijos en una escuela mejor, sino que prácticamente estaban más que dispuestos a encontrar la manera de llevar a sus hijos a la escuela cada día, a pesar de la distancia y tiempo de traslado. Conozco algunos de estos padres personalmente y viven muy lejos de mi casa. El traslado a la escuela es muy trabajoso, sin embargo ellos suplicaban por este cambio, sin importar por lo que tenían que pasar. El proceso, incluyendo la humillación y los nervios por los que estos padres tienen que aguantar es ejemplo de su persistencia y compromiso por una mejor educación para sus hijos. ¡Eso es lo que se llama dedicación por una mejor educación!"

De nuevo, la gente murmuró con coraje porque ellos también tenían historias similares en las cuales, a pesar de contar con muy pocos recursos, tuvieron que actuar y apoyar a sus hijos de muchas maneras que contribuyeron de manera positiva a las experiencias educativas de sus hijos.

La profesora Rodriguez calmó pacientemente a la gente al agradecerles sus profundas respuestas.

Lorena, una madre de dos y activista local sugirió lo siguiente: "Profesora Rodriguez, de verdad apreciamos su preocupación por nuestros estudiantes, como puede notarlo por la asistencia a esta reunión, estamos muy preocupados también. Sin embargo, queremos que ponga atención en las muchas maneras en las que estos padres se preocupan muchísimo por la educación de sus hijos. Su explicación de porqué a nuestros hijos no les va bien en la escuela refleja una perspectiva muy terible. Esta mirada inmediatamente culpa a los muchachos y a la cultura de sus familias. Por ejemplo, asume que los padres mexicanos no se preocupan por la educación de sus hijos porque no se presentan en las juntas de padres y profesores".

"¡Eso es verdad!" Yo no voy porque la escuela no da servicios de traducción y porque programan las juntas en horas inconvenientes para mí", dijo sin pena la señora Chavira.

"Ya ven", dijo Lorena mientras abría sus brazos y miraba a la gente como un cura durante la misa.

"Sí nos preocupamos pero nuestros esfuerzos y preocupaciones no son tomados en cuenta o reconocidos. En general, debemos dar crédito cuando se debe hacerlo. Tenemos que poner atención a las muchas acciones, deberes y roles que cada día, nosotros como padres mexicanos pobres hacemos y que de manera incuestionable valoran la importancia de una educación. Simplemente porque algunos de nosotros no tenemos el dinero o la información para enviar a nuestros hijos a la universidad, no significa que no valoremos la educación. ¡De verdad que no quiere decir que se nos deba culpar! Usando el ejemplo que nos dio el profesor Lopez, estoy más que convencida que todos los padres en este salón cambiarían lo que es el equivalente de su ganado por una mejor educación para sus hijos. ¡A seguir adelante!"

*Dedicado a mis padres María y Pablo

Beca deportiva

"¡Sonia! ¡Apúrate y prende la televisión! Quiero ver si el equipo de fútbol de la preparatoria de Oxnard le ganó al de Channel Islands", gritó Eduardo mientras bajaba los escalones hacia la sala.

"¡Aguanta! Ya sabes que siempre les ganan, pero de todas maneras, ya está", le respondió Sonia y le cambió al canal tres.

Tan pronto como Eduardo se acomodó en la mecedora de su mamá, pegó los ojos a la televisión.

"Hola, soy Ron Johnson, gracias por sintonizar nuestro programa *Friday Night Lights*, emisión dedicada a traerte las noticias sobre tus equipos locales escolares. Ha habido muchos logros esta semana. Alison Dale, estudiante de los últimos semestres de la preparatoria *Leadership High School* en Westlake, California, recibió una beca deportiva completa para ser parte del equipo femenil de remo, de la Universidad del Estado de Washington en la posición de timonel. Alison está siguiendo los pasos de su hermana mayor, Morgan, quien ya pertenece al equipo de remo de la Universidad del Estado de Washington".

"Hey, ¿Qué fregados significa *timo-teo*?" Preguntó Eduardo mientas levantaba las cejas.

Sonia, quien ya estaba en el celular, le quitó el sonido a la televisión y procedió a buscar la palabra en *Google*, "¿Cómo deletreas la palabra?"

"Mmmm. Escribe 'remo,' luego: *t-i-m-o-t-e-o*", Eduardo soltó la carcajada sabiendo que había deletreado muy mal la palabra.

"Compa, ¡andas pero muy lejos! Es *t-i-m-o-n-e-l*", Sonia batalló para deletrear. "De acuerdo con *Google*, un timonel es la persona que se sienta al frente del bote viendo a los otros remeros y quien verbalmente controla la dirección, velocidad, tiempo y fluidez del bote. Dice aquí que el timonel nomas se la pasa gritando órdenes a los otros remeros que están en el mismo bote".

133

"¡No manches! ¿Hay gente que se gana becas deportivas por gritarles a otros? ¡Mi mamá pudo haber ido a la Universidad de Harvard entonces!" dijo en voz baja Eduardo para que su mamá, que estaba en el otro cuarto, no lo escuchara.

Sonia se echó una carcajada e insistió en los hechos, "No es gente común, ¡es gente que puede comprar un bote y entrenamiento para usar esos botes! ¿Cuándo fue la última vez que te subiste a un bote?"

"¡Chale! Cuando fuimos a *Six Flags*. ¿Te acuerdas? El juego que te hace sentir el estómago todo revuelto", le dijo Eduardo burlándose.

"¡Ese tipo de bote no, menso! No seas mamón", le respondió Sonia aventándole una almohada.

Eduardo le aventó de regreso la almohada, "aunque vivimos tan cerca de la playa no conozco a nadie en Oxnard que tenga un bote, mucho menos un bote de remos. Ahora que lo pienso, ¡la preparatoria de Oxnard ni siquiera tiene un equipo de remo! Apenas tenemos una piscina para wáter polo y para nadar, ¡y creo que la compartimos con otras preparatorias! ¡Qué onda!"

Eduardo agregó, "si hubiera sabido que podía obtener una beca deportiva por gritarle a la gente en un equipo de remo, ¡me hubiera puesto a entrenar los pulmones! Pero como ni siquiera tenemos un equipo de remo, pues ni tengo oportunidad de tener esa beca. ¡Chale, eso está jodido!" Exclamó Eduardo mientras se chupaba los labios y movía la cabeza de un lado al otro.

"Por eso siempre te digo que te concentres en tus calificaciones y que te ganes una beca escolar. Esas también existen, en caso de que no lo sepas. Y no tienes que gritar a nadie. Bueno, a lo mejor nada más cuando no te llegue a tiempo el cheque", le dijo Sonia en un tono medio serio.

Eduardo se quedó mirando la televisión por un buen rato. "Chale, sigo pensando sobre esta onda del *timo-teo* y los deportes en general. Ni siquiera había pensado que las becas deportivas podían ser tan excluyentes. Pensé que todo era debido al talento o a la ética de trabajar duro".

"Claramente no", le respondió inmediatamente Sonia.

"Aguanta", dijo Eduardo haciendo una pausa, como si hubiera tenido una epifanía.

"¿Te acuerdas cuando papá nos llevó al torneo de fútbol de la división de los jugadores universitarios en Los Angeles?" Le preguntó muy animado Eduardo.

"Sí, ¿qué onda con eso?" Respondió rápidamente Sonia, sin ninguna emoción.

"Corrígeme si estoy mal, pero de lo que recuerdo, casi todos los jugadores en ese torneo eran blancos. Algunos, incluso eran de países europeos blancos como Alemania o Italia. Por supuesto que había unos pocos morenos o negros locales por ahí, jugando, pero casi todos ellos eran blancos, ¿te acuerdas?" Aseguró Eduardo de manera acertada.

"No tiene lógica para mí", murmuró Eduardo en tono de confusión. "Oxnard tiene muchos jugadores de fútbol talentosos. En mi último año de preparatoria, ¡El campeonato de la Federación Interescolar de California (*CIF*) fue entre dos preparatorias de Oxnard! Mi preparatoria pudo haber ganado pero la descalificaron. Esa es otra historia para otra ocasión. De todas maneras, cada dos años, una preparatoria de Oxnard queda en las finales del campeonato de la *CIF*. De verdad te lo digo, nos corre el fútbol por las venas. Hay un chingo de talento futbolero en Oxnard".

"¡Y no nos olvidemos de las muchachas de Oxnard! ¡Recientemente, el equipo femenil de fútbol ganó el campeonato de la *CIF* también!" Le interrumpió con orgullo Sonia, mientras miraba su celular.

"¡Es neta, también ellas! Aparte de tener todos estos talentosos jugadores de fútbol, nunca he visto a ninguno jugar por el campeonato de los jugadores universitarios. Pienso que hay algún tipo de marginación. Hasta en el fútbol nos excluyen".

"Sí, ¡es porque somos mexicanos/as/xs!" Sonia dijo sarcásticamente.

"¡Dices eso para todo! Hablo en serio. Raramente veo a alguien de Oxnard jugar fútbol en *UCLA*. Los vimos jugar en el torneo al que nos llevó papá. Sin ofender, ¡pero eran basura! ¿Te acuerdas de Roberto de mi equipo de prepa?" Eduardo preguntó.

"¿El que tenía el corte medio estropeado?" Sonia respondió.

"Sí", sonrió. "Ese tonto era lo suficientemente bueno y pudo haberse metido en el equipo de *UCLA* fácilmente. Fue

136

el mejor goleador en la liga de nuestra preparatoria por cuatro años. ¡Hasta cuando era de primer año fue el mejor anotando! Pero, de nuevo, no se nos dio esa oportunidad".

"Aparte del muy mencionado talento futbolero, ¿qué más tienen estos chicos blancos y riquillos que no tenemos en Oxnard? Respecto al deporte de remo, está fácil. Ellos tienen botes, nosotros no. Pero hablando de fútbol, tenemos campos y pelotas. ¿Entonces, qué es?" Se quejó Eduardo en voz alta.

"Bueno, les llaman 'estudiantes-atletas' por algo. Nosotros podremos tener muchos atletas y talento, pero ciertamente que no tenemos suficientes estudiantes con buenas calificaciones. ¡Ya sabes que las escuelas de Oxnard no nos preparan para ir a la universidad! Eso es algo cierto", aseguró Sonia.

Ella continuó, "Cuando pienso acerca de esto me acuerdo que tuve una clase con una atleta de la División 1 de básquetbol, en el colegio comunitario, y me dijo que hay una ciencia en eso de ser reclutado en todos los equipos deportivos universitarios. Una cosa que recuerdo que él mencionó es que debes jugar en torneos fuera de la temporada de tu escuela para ganar visibilidad frente a los coaches universitarios".

"¡Chale! ¿Te acuerdas porqué tuve que salirme del equipo de fútbol viajero de Los Angeles?" Preguntó Eduardo quejándose.

"¡Si! Porque el gasto de que fueras de Oxnard a Los Angeles era la mitad de nuestra renta", recordó Sonia.

137

"Mira, le dije a papá que era una buena inversión. ¡Estaría jugando en la división de fútbol *D-1*!" Dijo con orgullo Eduardo.

"¡Andale, cómo no! Habrías estado viviendo en los dormitorios mientras nosotros estaríamos sin casa". Sonia continuó, "el atleta también dijo que necesitas una grabación buena y extensa. Una que muestre tus diferentes habilidades y fortalezas. Sobre eso, también mencionó que dependiendo de la escuela o del coach, la música que se incluye en este video te ayuda a ¡obtener o perder la beca! ¡Así de específico! Algunos de tus amigos tienen corridos del cantante El Fantasma en sus grabaciónes de video. Sabes que no fueron reclutados por universidades prestigiosas", dijo ella mientras se reía de su propio chiste.

"¡Eso es!" Gritó Eduardo mientras brincaba de su asiento. Sacó de su bolsillo el celular y llamó a su amigo Emmanuel, quien era el capitán y portero de su equipo de fútbol de la preparatoria.

Después de una corta llamada, le dijo a Sonia, "Emmanuel dijo que ni siquiera teníamos a alguien que esté consistentemente grabándonos cuando jugábamos. Dijo que tenemos grabados algunos juegos pero otros no. Está todo muy desorganizado. ¿Cómo esperamos que nos recluten para universidades de la mejor división si ni siquiera podemos enviarles una buena grabación de los partidos? Nuestras escuelas apenas nos dan dinero para comprar los uniformes, ¿qué te hace pensar que nos van a comprar programas fregones para grabar o editar videos?" Protestó Eduardo.

"¡Esto es tan tonto!" Tenemos tanto potencial, pero no se puede cumplir. ¡Ni siquiera en los deportes!" Dijo Eduardo en tono frustrado.

"Estas son sólo dos maneras en las que la gente pobre morena y negra de Oxnard es excluida de las becas escolares. Dependiendo del deporte, estoy segura de que hay otras muchas maneras en que estamos excluidos de las becas escolares", le recordó Sonia.

"Creo que el rapero *Jadakiss* no mentía cuando nos pedía pensar sobre ¿por qué el hermano del norte, mucho mejor que Michael Jordan, no tuvo esa oportunidad?" Pensó Eduardo mientras continuaron viendo las noticias locales sobre deportes.

"¡Mira! ¡Ahí está el puntaje del juego!" Sonia le puso el sonido a la televisión otra vez.

"Soy Ron Johnson de nuevo, la preparatoria de Oxnard le gana a Channel Islands por cuarto año consecutivo..."

¡Dedicado para ti!

Fresas y mentiras

Oxnard está rodeado de todo tipo de campos de agricultura, producción de cultivos desde habas hasta betabeles, pero de manera más importante las fresas. Para ser específico, Oxnard es la "Casa de las fresas". Es sin duda, uno de los productores más grandes de fresas de la nación. De hecho, cada año la ciudad es sede del Festival de Fresa de California, en donde encontrarás cualquier cosa hecha con fresas: nachos con fresas, pizza de fresas, y hasta puedes disfrutar, si eres mayor de edad; champaña de fresa.

La primera vez que Griselda fue al Festival de la Fresa de California en Oxnard fue por los libros. A pesar de haber nacido y crecido en Oxnard, en catorce años nunca había asistido. La verdad, porque era muy caro ir, casi ninguno de sus amigos o parientes había asistido tampoco. De cualquier manera, su primera visita fue inolvidable. No porque por primera vez haya probado la famosa salsa de fresas o las fresas frescas perfectas cubiertas de chocolate. No, nada de eso. Ella asistió estrictamente por razones de negocio. Fue por la oportunidad de ganar un crédito extra que le darían para mejorar su horrorosa calificación en su clase de inglés durante la escuela de verano. Ella sabía que tenía que pasar esa clase de inglés así que quiso aprovechar la oportunidad de un crédito extra para hacer un proyecto de investigación de su interés.

Los padres de Griselda son trabajadores del campo, por eso decidió hacer su proyecto sobre las fresas, algo en lo que está muy interesada por las experiencias de ellos. Su profesor, el señor García, le sugirió que estuviera al tanto del festival de la fresa para que agregara más información a las entrevistas que les haría a sus padres, incluso le pagó la entrada al festival. Siempre fue un profesor solidario y sensible que dejaba de atender sus asuntos por asegurarse de que sus alumnos se involucraran a fondo con su clase. La flexibilidad de esta tarea es un importante ejemplo de cómo él lograba que los estudiantes sintieran interés por la

141

educación. Así fue cómo Griselda acudió al Festival de la Fresa de California por primera y última vez.

En el poco tiempo de su proyecto de investigación, Griselda de inmediato notó la gran diferencia entre las respuestas que registró a través de las entrevistas que les hizo a sus padres y lo que vio en el festival de la fresa. Por ejemplo, una obvia diferencia era que todo en el festival parecía tranquilo y alegre. Esto no tenía sentido para Griselda porque todo lo que sus padres le contaron sobre trabajar en los campos de fresas era desalentador e indignante. De lo que pudo observar al crecer, recoger fresas no era nada fácil. Pero de todas maneras, la gente de todo el país viene a celebrar la fruta, pero esta misma gente no se pone a pensar en los/as/xs campesinos/as/xs. Como si los/as/xs campesinos/as/xs no existieran o importaran.

Como uno se puede imaginar, la vida de trabajadores del campo indocumentados es dura, por decir algo. En resumen, las respuestas de los padres de Griselda variaban de trabajar largas jornadas con pocos descansos o ninguno, a que se les negara alguna compensación debido a lesiones relacionadas con el trabajo. Su papá comenzó a llorar cuando le contó sobre su experiencia de que le pagaran muy poco o de cuando no le pagaron nada. Griselda recordó cuando esto sucedió porque cuando llegó a casa había velas encendidas porque sus padres no habían podido pagar la luz.

Ninguna de estas injusticias que sus padres resaltaron era ni remotamente mencionada en el Festival de la Fresa

142

de California en Oxnard. Estaba lleno de mentiras. Estos elegantes asistentes a festivales estaban ajenos o en negación al proceso de recoger fresas. Se comportaban como si las fresas hubieran aparecido mágicamente. Para Griselda, a la gente que pagó la exagerada cantidad de doce dólares por entrar se le había engañado y mentido. Se les había contado sólo una parte de la historia, la que se centraba en el producto: las fresas. Sin embargo, este lado de la historia era glorificado e idealizado. En este festival no se le mostraba a la gente la verdad escondida y oscura, esta es, el sufrimiento que viene con ser un trabajador del campo como sus padres. Algo con los que ella estaba familiarizada y pensó que era importante dar a conocer, especialmente en un festival sobre fresas.

En este sentido, este proyecto de investigación fue útil como un medio para que Griselda reflexionara sobre otras mentiras que le han dicho toda su vida. Desde que recuerda, todos, incluidos sus propios padres, le han dicho constantemente que si trabaja duro será recompensada. Sin duda, su proyecto de investigación también la ha animado a desafiar esta idea de que nuestra sociedad está basada en el mérito. La gente le llama meritocracia, o el "Sueño americano" o el "Sólo se necesitan ganas". Supuestamente, el éxito en los Estados Unidos se basa en el mérito o trabajo duro. Aun esto sucede de manera contraria a lo que aprendió en su proyecto de investigación y de lo que observó al crecer como hija de migrantes mexicanos indocumentados.

Recoger fresas es un trabajo duro. De hecho, a los trabajadores de la fresa no se les paga por hora. Como trabajadores a destajo, se les paga por cada canasta que llenan, de tal manera que se les presiona a trabajar lo más duro posible para ganar lo más que se pueda. En otras palabras, deberían ser pagados por lo mucho que trabajan, pero como estos trabajadores sólo reciben unos centavos por cada canasta que llenan, Griselda se dio cuenta que los pizcadores de fresa tienen suerte si ganan cuatro dólares por hora. Y como todos los recolectores de fresas que ella conoce son indocumentados, no pueden tener otro trabajo o/y tienen miedo de poner una queja porque eso aumenta el riesgo de ser deportados.

Por lo anterior, la investigación de Griselda argumenta que hacer el trabajo de recoger fresas como profesión, desafía la idea de que si alguien trabaja duro será recompensado. Sus padres se levantan a las cuatro de la mañana para llegar a tiempo a su trabajo a las cinco de la mañana y trabajan hasta las cuatro y media de la tarde, algunos días más tiempo. Frecuentemente, sus padres se van cuando sale el sol y regresan al anochecer. A pesar de que son de las personas más trabajadoras de Oxnard, siguen pobres. No les ha llegado su recompensa y Griselda duda que un día les llegue.

Después de terminar su proyecto, Griselda presentó sus hallazgos en reunión de cabildo en Oxnard. También escribió una carta al alcalde de Oxnard pidiendo que se atiendan las duras condiciones de trabajo de los/as/xs trabajadores/as/xs del campo en la comunidad. Todavía, después de tres años ella no ha visto gran cambio. Finalmente, este proyecto de investigación le ha recordado y alentado a Griselda sobre la importancia de humanizar a los/as/xs trabajadores/as/xs del campo. Debido a que muchos de ellos son indocumentados y no tienen derechos, son tratados como si no fueran humanos, muy seguido se les llama *'aliens'* (extraterrestres) como si manejaran naves espaciales o algo parecido, ¿qué tan tonto o increíble es eso?

Hoy en día, cada vez que va a su preparatoria, otro lugar lleno de mentiras, en el descuidado camión amarillo brillante rumbo a la avenida Victoria, Griselda ha hecho su prioridad observar por la ventana a los agachados recolectores de fresas. Lo hace como una forma de respeto a sus padres y a otros trabajadores/as/xs del campo que se esfuerzan sin descanso, pero que no son recompensados o tratados como humanos. Habiendo dicho esto, la próxima vez que muerdas una madura y perfecta fresa de Oxnard o cualquier otro producto del campo, debes rendir homenaje a los/as/xs trabajadores/as/xs agrícolas explotados que hicieron posible que lo disfrutaras.

Sodas de 35 centavos

En Oxnard se podían comprar muchas cosas con un dólar. En algunas áreas todavía se puede, mayormente en el sur de Oxnard. Usualmente entre más te acerques a la playa, más pequeño se hace tu dinero. Las cosas están cambiando, incluso ahora, cuando te alejas de la playa los precios siguen aumentando. No hace falta decir que nunca pensé llegar a decir, "en mis tiempos un dólar era mucho dinero". Crecí en el barrio *Blue Ghetto*, una apretada comunidad de condominios de bajos recursos económicos que separa al Port Hueneme de Oxnard. Recuerdo que cruzábamos la calle para ir a comprar cosas y tener acceso a los servicios del viejo centro comercial de la avenida Victoria y calle Hemlock. Incluso cuando nunca la llamamos por su nombre, decían que el nombre de la plaza era "Centro Comercial de *Channel Islands*".

A pesar de tener un descuidado y enorme estacionamiento, aterradoras y desoladas tiendas frontales, incluyendo un mercado *Albertsons* embrujado con ventanas rotas, los residentes del barrio *Blue Ghetto* y otros vecinos cercanos iban a este centro comercial. Cada vez que mi mamá tenía que lavar nuestras cobijas u otras cosas pesadas, íbamos a la lavandería de la plaza. Era prácticamente el mismo precio que en nuestro condominio, pero como las lavadoras y secadoras estaban más grandes, nos rendía más el dinero.

La tienda de donas siempre era conveniente en las mañanas, tardes y noches. Nada podía ir mal con cualquiera de las donas de setenta y cinco centavos. Mi dona favorita era la que tenía glaseado con chispas de chocolate y mismo relleno. Por supuesto, era la más cara, costaba la enorme suma de un dólar con cincuenta centavos. Si te ponías vivo, también podías disfrutar tu dona con una película rentada de un falso *Blockbuster* cercano por no más de cuatro dólares. Mejor aún, si te sentías con ganas de darte un antojo, podías comprar, en lugar de la dona una torta de puerco deshebrado, en el negocio de *BBQ* al otro lado de la

147

tienda de video. Siempre pensé que era chistoso que asaran la carne en medio de un estacionamiento vacío para que el humo no molestara a nadie, pero esa historia la dejaré para otro día.

Aparte de la comida y el entretenimiento, esta plaza también te ofrecía dos maneras de mantenerte medio fresco. La primera era la tienda de artículos de segunda mano, por eso dije medio fresco. Esta tienda era siempre un éxito o un fracaso, dependiendo de los montones de ropa y accesorios, podía ser posible que te encontraran ropa buena, y en ciertos días hasta te daban descuentos según las etiquetas de colores. La segunda manera de estar medio fresco era ir a la barbería de donde era cliente. Esto se debía a que tenía que mantener mi corte de doble línea. El dueño de la barbería me hacía un paro, de manera literal y metafórica. Me conocía personalmente y me daba un descuento porque acompañaba a mis amigos a la misma iglesia que él iba.

De los siete u ocho negocios de esta descuidada plaza comercial, la tienda de licores era mi favorita porque era la más barata—especialmente si se le comparaba con la de la estación de gasolina al otro lado de la cuadra y que ponía calcomanías de caritas felices sobre las etiquetas de los precios originales, lo hacían para poder vender más caros sus productos. En esta tienda de licores, incluso con un dólar, las combinaciones de qué comprar eran infinitas. Una soda *Shasta* de treinta y cinco centavos era una de las cosas favoritas de nosotros. Tenía muchos sabores para escoger, de verdad valía la pena. Yo siempre escogía uva. Si tenías sed, te podías comprar dos sodas y una bolsa de *Hot Cheetos* por un dólar. O si tenías más hambre era al revés: dos bolsas de *Hot Cheetos* y una soda. Una comida completa incluía una bolsa de *Hot Cheetos*, una soda y un *Twinkie* de postre. ¡Todo por un dólar!

Muchos recuerdos se crearon en este centro comercial. Muchas sodas de treinta y cinco centavos se compraron. Aunque mis amigos, vecinos y familiares compraban ahí y usaban el lugar, yo sabía que ese centro comercial no iba a durar. En cuanto a su infraestructura, no había una inversión genuina en ella. El pavimento estaba tristemente cuarteado y la pintura de las paredes del edificio estaba descolorida y comenzaba a caerse. Había negocios que eran inaugurados una semana sólo para cerrar algunos meses después. Sin el apoyo del ayuntamiento era muy difícil mantener un negocio en este centro comercial debido a la manera tan descuidada que se veía. Después de todo, ¿quién puede mantener abierto un negocio exitoso a un lado de un mercado embrujado que ha estado cerrado por más de ocho años?

Recientemente, este centro comercial fue finalmente demolido. Todo fue destruido. En el lapso de unos pocos años, fui testigo de la construcción de casas de medio millón de dólares en ese lugar. Los antiguos compradores del centro comercial como mi familia, mis vecinos y como yo, no tendremos oportunidad de acceder a esas lujosas residencias, ni de chiste. Los precios de esas casas nuevas son excluyentes en sí mismos. Para poner peor las cosas, estas mansiones de ricachones tienen ya instaladas cámaras de seguridad y letreros de propiedad privada para recordarnos a los que vivimos en la acera de enfrente, que no debemos acercarnos.

Este no es un incidente aislado en Oxnard. Es de alguna manera una tendencia que ya había notado. Incluso cuando no existen letreros o cámaras dirigidas directamente hacia nosotros, la pobre Gente de Color es excluida de espacios sin saber que lo han sido. Un gran ejemplo es el recién construido mercado *Whole Foods* en el centro comercial *The Collection*. Las únicas Personas de Color que veo ahí son los trabajadores. En serio, ¿quién tiene el dinero, y más importante el coraje, para comprar crema de cacahuate orgánica por quince dólares? Conozco gente que trabaja en el mercado *Whole Foods* y aun así no puede darse el lujo de comprar ahí. Es ridículamente caro y por lo tanto excluyente.

Sin duda, hay diferentes maneras y formas de explicar lo que sucedió al centro comercial enfrente del barrio *Blue Ghetto* y a otras áreas en Oxnard. Los funcionarios del ayuntamiento le llaman una necesaria "revitalización" de la ciudad. Esto significa que la ciudad encuentra maneras de revivirse al construir restaurantes o casas que traerán a nuevas personas, pero de manera más importante, dinero nuevo. Otra explicación la ofrecen los críticos del desarrollo de la ciudad. Le llaman "gentrificación", que es el proceso de renovar y mejorar una ciudad hecha al gusto de la clase media blanca. Yo le llamo "no más sodas de treinta y cinco centavos".

Made in the USA
San Bernardino, CA
26 October 2018